KINTSUGI

O poder de dar a volta por cima

Este livro está totalmente integrado com o site do autor, Edgar Ueda, onde você poderá encontrar material complementar e enriquecer ainda mais a sua leitura e o seu aprendizado por meio de vídeos, artigos e podcasts sempre atualizados. Acesse esse conteúdo por meio do QR Code ao lado, ou pelo link www.edgarueda.com.br.

“Conheço Edgar Ueda há mais de uma década. Um grande empreendedor, incansável! Já transformou vidas em mais de 40 cidades! Tenho muito orgulho de ser seu parceiro de missão.”

— **Rodrigo Cardoso**, eleito Melhor Treinador do Brasil pelo prêmio Top Chance.

“Existem pessoas que perguntam o que está acontecendo. Outras o que vai acontecer. E um seleto grupo de pessoas que fazem acontecer. Meu amigo Edgar está com certeza nesse seleto grupo, isso porque tem em seu DNA a essência dos homens de sucesso: quando está cansado, não desiste, ele descansa e continua. Sem dúvidas um divisor de águas. Bom mergulho!”

— **Luis Paulo Luppa**, autor do best-seller *O vendedor pit bull* e presidente do Grupo Trend.

“Sinto-me orgulhoso de ter tido o prazer de trabalhar com Edgar Ueda numa série de palestras pelo Japão. Além de ser uma pessoa nota mil, ganhei um amigo que contribui de forma virtuosa para melhorar minha carreira como palestrante internacional. Como sempre digo: se você fizer o que gosta, correrá o risco de não ter que trabalhar nenhum dia de sua vida, e Edgar é essa pessoa, sempre um passo à frente.”

— **David Portes**, escritor, palestrante e empresário.

Kintsugi – O poder de dar a volta por cima

1ª edição: Agosto 2018

Autor:
Edgar Ueda

Copidesque:
Paula Santos Diniz

Revisão ortográfica:
3GB Consulting

Criação e diagramação:
Dharana Rivas

DADOS INTERNACIONAIS DE CATALOGAÇÃO NA PUBLICAÇÃO (CIP)

U22k Ueda, Edgar.
Kintsugi: o poder de dar a volta por cima / Edgar Ueda.
– Porto Alegre : CDG, 2018.
208 p.

ISBN: 978-85-68014-66-0

1. Desenvolvimento pessoal. 2. Motivação. 3. Sucesso pessoal. 4. Autoajuda. I. Título.

CDD – 131.3

Produção editorial e distribuição:

contato@citadeleditora.com.br
www.citadeleditora.com.br

KINTSUGI

O poder de dar a volta por cima

金継ぎ

EDGAR UEDA

2018

DEDICATÓRIA

Dedico este livro às pessoas mais do que especiais que participaram e participam de minha jornada. Sem elas, minha história seria outra, e eu não teria hoje todo o sucesso que conquistei.

Dedico a Deus, não uma figura religiosa, e sim um ser maior, que sempre direcionou, contribuiu, me norteou para que eu tomasse sempre as melhores decisões em minha vida.

Dedico para minha mãe, Maria José, que sempre foi uma fortaleza, uma inspiração para mim. Aos meus avós maternos, já falecidos, Antonia e Antônio, que sempre estiveram do meu lado quando mais precisei. Esses três foram meus maiores professores.

Dedico ao meu filho primogênito, Lucas Henrique, minha esposa, Michele Goto, aos meus irmãos, Elaine Sati, Eduardo Sadao e Dedé, como é conhecido. Também aos meus pequeninos filhos, Saymon e Sophi, minhas eternas crianças, e às minhas sobrinhas, Carolina e Sophia Tsuchiya; também ao meu sobrinho, Irineu Akira, à minha avó paterna, Mitsue Onishi, e ao meu padrasto, já falecido, Antônio Benatti.

AGRADECIMENTOS

Meus sinceros agradecimentos a cada pessoa que se dispôs a me ajudar em minha jornada, não apenas do livro, mas também de minha vida.

Gratidão a toda a minha família, que me apoiou em momentos desafiadores, aos amigos queridos que fizeram parte desta história e àqueles que contribuíram de alguma forma para que este projeto virasse realidade.

Meu muito obrigado a minha cunhada Cristina Kobashi, minha sogra Erika Goto, Manuel Uehara, Lucia Yodono, Manoel Português, Marcos Tadano, Ricardo Nagase, Raphael Duduch, Cleber Silvestre, Henrique Duduch, Cláudia Lopes, Thiago Esteffanato, Fernando Caeser Oliveira, Luis Paulo Luppa, David Portes, Villela da Matta, Prof. Gretz, Rafa Prado, Geraldo Rufino, Mário Yamasaki, Pyong Lee, Márcio Giacobelli, Nando Pinheiro, Prof. Marins, Marina Klink, Bruno Foster, Christian Barbosa, Rodrigo Cardoso, Carlos Wizard, Edilson Lopes, Leandro Marcondes, Robinson Shiba, Reinaldo Polito, Luiz Fernando Garcia, Murilo Gun, Leila Navarro, Marcelo Ortega, Marcos Le Pera, Eliane Assis, Fernando Seabra, Alexandre Taleb, Leonardo Fortunatti, Rodnei Vasconcellos, Denis Bruno, Mauricio Sita, Roberto Caruso, Conrado Adolpho, Gilberto Cabeggi, Talita Luvizon, Edson Oliveira, Bruno Pinheiro, Cristiano Rabelo, Mark Neeleman, Ben Zruel, Pablo Paucar, Cris Arcangeli, Marcial Conte Jr., Guga Stocco,

João Kepler, Clodoaldo Araújo, Roberto Navarro, Rick Chesther, Yoshio Kadomoto, Felipe Torres, Franco Junior, Marcos Scaldelai, Breno Oliveira, Thiago Rodrigo, Alessandro Bomfim, Silvia Quirós, Priscila Quirós, Silvia Patriani, Geovana Quadros, Rodnei Vasconcellos, Sergio Lima, Roger Oliveira, Gilmara Gonçalves, Jonathan Freitas, Tadeu Lockermann, Ricardo Bellino, Bruno Canuto, Fernando Mori, Graceh Kalrin, Juliana Mitidieri, Thiago Tavares, Daniel Zaboto, Heber Lourenção, Camila Peraro, Luiz Carlos Oliveira e Ana Cláudia, Renan Magalhães, Candy Sigrist, Filipe de Medeiros, Lívia Fernandes Argentoni, Fabiana Araújo, Camila Martins, Aracy Botelho da Silva e Rafael Navarro, e a todos colaboradores, clientes, fornecedores, parceiros de negócios e amigos.

Vocês fazem parte da minha história!

KINTSUGI
金継ぎ

Na época em que morei no Japão, conheci a arte milenar "Kintsugi", usada para reparar peças de cerâmica quebradas. Em uma tradução livre, Kintsugi significa "Emenda de Ouro". Essa técnica usa como "cola", para juntar novamente as partes quebradas, uma mistura de laca e ouro em pó. As peças restauradas ganham uma beleza especial, destacando as rachaduras e os reparos, e seu valor se torna muito maior, não só pelo ouro, mas também, e principalmente, pela beleza e originalidade que adquirem.

A cultura japonesa valoriza muito as marcas de desgaste que testemunham o uso de um objeto e sua serventia. O fato de ter-se quebrado e ter sido restaurado aparece como um evento bastante significativo na existência do objeto – os reparos destacam sua história e funcionam como um adicional ao seu valor.

Dentro dessa cultura, um vaso que nunca se quebrou é apenas mais um vaso, não importa o quanto ele tenha custado ao ser comprado. Mas o vaso que se torna especial é aquele que, depois de ter sido quebrado, ter sido submetido a condições extremas, tem suas partes unidas novamente com ouro. Isso torna essa restauração especial e eleva a importância do objeto, estabelece um diferencial e o torna único – nada mais se compara ao novo visual do vaso restaurado, e nenhum outro vaso será jamais igual a ele.

Em paralelo com essa arte, existe toda uma filosofia de vida, aplicada ao modo de ser do povo japonês, que fala da aceitação do que foi forjado pela vida, que sobreviveu aos desafios e renasceu depois de uma provação mais intensa, que lhe deixou marcas. Uma filosofia que ajuda a lidar com a ideia das perdas e da melhoria por meio da provação e da determinação de dar a volta por cima, renascer das cinzas, continuar em frente, apesar das cicatrizes que a vida deixou.

O Kintsugi traz também consigo a ideia da aceitação da mudança como uma realidade presente entre os aspectos da vida humana e da valorização da experiência e do trabalho realizado.

Uma filosofia de vida que destaca a beleza das cicatrizes adquiridas nas lutas do dia a dia, diante dos erros e adversidades e das derrotas, e a determinação de se recuperar e se colocar inteiro de novo. A consciência de que suas provações valorizam ainda mais a sua vida e as suas conquistas, porque só não tem cicatrizes quem não vai à luta – e, nesse caso, vive uma vida vazia.

O ouro que restaura a essência do vaso quebrado é a representação do valor da experiência e do conhecimento adquiridos em nossa vida, nas nossas lutas, que torna a nossa própria restauração muito especial. Nada mais se compara ao nosso novo "eu", que renasce dos desafios enfrentados e que nos atribui um visual especial e diferenciado.

O Kintsugi representa aquela vontade que todos temos de ser cada vez maiores e melhores, mesmo sabendo que teremos de pagar o preço, que teremos desafios, muitas vezes nos machucaremos, mas nos levantaremos e curaremos nossas feridas. E levaremos nossas cicatrizes como troféus de ouro, para lembrar sempre que toda boa luta em busca de nossos sonhos sempre vale a pena.

O Kintsugi representa essa força e determinação de buscarmos todos os dias o nosso *turnaround*, a nossa maneira de dar a volta por cima, recomeçarmos a nossa luta, nos reconstruirmos e nos tornarmos melhores e mais valiosos.

É a decisão de reunirmos nossos pedaços depois de uma queda – e quedas acontecerão sempre em nossa vida – e valorizar cada cicatriz que nos mostra que somos maiores do que os problemas da vida e mais dispostos a encantar todos os que se inspiram em nosso exemplo para definir suas próprias vidas.

A filosofia do Kintsugi é o que dá sentido e nos ajuda a promover o *turnaround* em nossa vida, sem medo de nos machucarmos durante a jornada rumo ao sucesso, porque sabemos que isso só vai nos valorizar ainda mais. É a partir dessa certeza e desse exemplo de contemplação da beleza da luta pelos nossos sonhos que nos colocaremos definitivamente no caminho da vitória.

Esse é um modo de pensar que faz parte do processo de quebra de nossos paradigmas e de crenças que nos mantêm presos a situações que não nos satisfazem. É, por isso mesmo, o principal impulsionador do nosso *turnaround*, que nos leva na direção do que realmente queremos realizar.

Mudanças importantes em nossa vida, sem dúvida, exigem muita coragem, determinação e empenho. Por isso mesmo, elas só acontecem a partir do momento em que decidimos firmemente que é hora de virar o jogo e renascer como vencedores.

Inspire-se na ideia do Kintsugi para ganhar a coragem necessária para dar a partida nessa nova jornada na sua vida, rumo ao sucesso. Afinal, caso você se quebre ao longo dessa luta, sempre poderá se restaurar com o ouro de uma vida bem vivida. E as cicatrizes que você conseguir ao longo dessa luta só irão deixá-lo ainda mais forte, belo e valoroso.

Prepare-se para o seu *turnaround* e comece já a sua grande virada.

APENAS VASO RUIM NÃO QUEBRA

Ao ler a inspiradora definição do termo *kintsugi* belissimamente apresentada por Edgar Ueda uma palavra me veio imediatamente à cabeça: resiliência. O sábio ditado popular que ouvia de meus avós afirma que apenas vaso ruim não quebra. Com nossos tropeços é que apreendemos a cair e principalmente a levantar e, o mais importante, a voltar a andar no caminho certo.

Se tivesse que identificar "a" característica que define o segredo do meu sucesso – e uma das principais características do sucesso daqueles que admiro e me inspiram –, eu diria que é exatamente a capacidade de colar os cacos dos vasos quebrados ao longo de minha jornada empreendedora. Na escola da vida, exercito diariamente o processo de *keep learning*, ou seja, aprendizado permanente. Aprendi desde muito cedo a transformar meus defeitos em virtudes, a nunca aceitar um não como resposta e a não desistir dos meus grandes sonhos sob hipótese alguma.

Falando em grandes sonhos, não posso deixar de citar o exemplo de resiliência de meu ex-sócio e coautor do episódio mais emblemático de minha trajetória empreendedora – o atual presidente dos Estados Unidos, Donald Trump. Não foram poucas as crises empresariais que Trump teve de enfrentar. No final dos anos de 1980, seu endividamento foi acima de US$ 5 bilhões – algo impensável de ser solucionado por um empresário comum.

Com a força de sua obstinação, Trump usou a resiliência como uma cola de ouro para restaurar seu vaso quebrado. E venceu. A Organização Trump ressurgiu fortalecida, e o *mogul* recuperou seu status e lugar de destaque na lista de bilionários da revista *Forbes*. Foi com a mesma resiliência que o empreendedor Donald Trump se lançou em uma campanha presidencial e venceu outra vez, ocupando hoje o cargo mais importante do mundo.

Tenha você também o seu tubo de cola sempre no bolso e esteja pronto para colar os cacos do seu vaso, que a vida há de quebrar para ensiná-lo a ser uma versão melhor de você mesmo.

RICARDO BELLINO

Fundador da School of Life Academy

INTRODUÇÃO

Tempos atrás participei de um evento como palestrante e, em um intervalo, fui abordado por um rapaz. Ele demonstrou tanta energia, determinação e excelência na comunicação, todas aliadas à segurança com que me abordou, que fiquei sem graça de não ter reconhecido que aquela se tornaria uma amizade duradoura.

Enfim, ainda não nos conhecíamos, mas aos poucos tive a certeza de que nascia ali uma amizade e uma parceria de longo prazo, pois, assim como ensino e falo em palestras, aquele rapaz sabia da importância do quê, do como e do quando falar. Seu nome: Edgar Ueda.

De lá para cá, aprendemos juntos e ensinamos um ao outro. Dividimos palcos pelo Brasil, unidos por um objetivo comum: o interesse em passar conhecimentos que ajudem cada vez mais empreendedores a alcançar seus sonhos e objetivos.

Venho aprendendo com seus ensinamentos, bem como com sua própria história de vida. A capacidade de mostrar o amanhã como caminho possível e de recomeço é inerente a esse grande profissional.

Após ter vivido a experiência de dar a volta por cima tantas vezes, superando inúmeros desafios, Edgar foi capaz de criar uma metodologia que tornou esse conhecimento acessível a todos – para assim tornar as jornadas das pessoas cada vez mais fáceis e possíveis.

Os calos nas mãos, as dificuldades passadas, inclusive com grandes quedas, forjam os fortes e estimulam os determinados a fazer de novo o que não deu certo e a levar seus sonhos adiante, seja com que sacrifício for. E toda queda é transformada em experiência para aumentar seu valor e sua determinação.

A arte do Kintsugi, tão bem lembrada por Ueda neste livro, representa a mudança de *mindset* primordial e necessária para moldar qualquer pessoa de sucesso, seja para sua vida pessoal, seja para a vida profissional.

É com grande alegria que encontro, nos conhecimentos que a vida deu ao Edgar, e que ele generosamente compartilha conosco, ferramentas para ajudar-nos a colocar em prática o que diz na letra da música "Volta por cima", de Paulo Vanzolini, consagrada pela cantora e compositora Beth Carvalho e tão cantada e vivida pelo nosso povo:

"Um homem de moral não fica no chão.
...
Reconhece a queda e não desanima.
Levanta, sacode a poeira,
E dá a volta por cima".

Seja bem-vindo ao recomeço, com a certeza de que o amanhã será muito melhor do que o dia de hoje.

Conte comigo para essa alegria e realização.

FERNANDO SEABRA

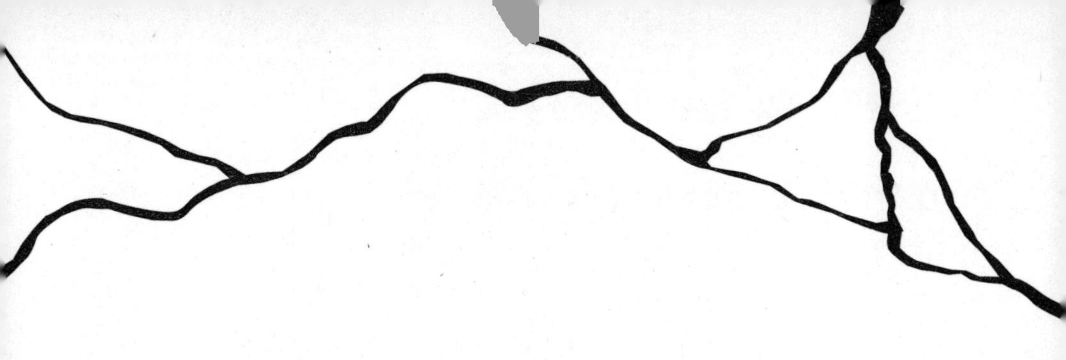

SUMÁRIO

É HORA DE VIRAR O JOGO

A verdade mais confortante é que todos sempre conseguem ser maiores e melhores em suas vidas.

Responda sinceramente a esta simples pergunta: *"Você está feliz com seus resultados?"*. *Pense um pouco mais sobre isto: onde você está agora é onde sempre planejou estar? Era isso mesmo que você queria? Você tem um grande sonho que ainda não realizou? Tem um propósito que quer realizar? Sabe qual é a sua missão de vida e como vai cumpri-la? Você sabe para onde vai? E sabe como vai chegar lá? Você está satisfeito com seus resultados?*

Todo ser humano na face da Terra quer ser bem-sucedido. Mais ainda, toda e qualquer pessoa quer melhorar sempre. Somos eternos insatisfeitos, o que é algo bom, porque todo crescimento e toda evolução começam com uma insatisfação. Assim, o ser humano está sempre procurando algo mais; quer viver em outro patamar, mais alto do que aquele em que se encontra; gostaria de viver uma vida melhor, não importa o quanto sua vida esteja boa.

Então, seja financeira, seja profissional, seja pessoalmente, a pessoa sempre quer alcançar outro nível acima daquele em que está vivendo – independentemente do patamar em que esteja. O rico quer ficar milionário;

o milionário quer ficar multimilionário; a pessoa que tem uma casa quer ter uma casa melhor; quem tem um carro quer trocar por um mais potente, mais confortável, mais luxuoso; quem tem qualidade de vida quer ter ainda mais qualidade de vida.

Enfim, as pessoas querem dar uma guinada, viver em outra realidade, melhor do que aquela em que vivem. Estão sempre insatisfeitas com o que estão vivendo e querem de fato virar o jogo da sua vida, para conquistar seus sonhos e seguir cada vez mais para o alto nas suas conquistas.

Podemos dizer que, na vida, as pessoas têm sempre apenas dois estados possíveis: *aquele em que elas se encontram, o seu estado atual, e aquele que elas pretendem atingir, ou seja, o estado desejado por elas.*

A grande angústia, porém, muito frequente hoje é que muitos não sabem como virar o jogo quando estão vivendo momentos difíceis, ou depois de experimentar algum tipo de fracasso, pois ficam no fundo do poço, ou perdidos.

Mas também existe muita gente que está bem, vem conquistando sucesso, está realizando algumas coisas importantes na vida, mas ainda assim tem uma vida abaixo de suas expectativas. Essas pessoas sentem que poderiam ter mais e querem mais. Porém, por alguma razão que não compreendem, permanecem em um nível limitado, como se estivessem dentro de um aquário com tampa, que as impede de subir além daquilo que já conquistaram.

O que essas pessoas não sabem é que essa limitação, na maioria das vezes, não existe, não é real. É apenas uma limitação que está na mente. Existe uma pequena história, de domínio popular, que ilustra bem isso:

Em um laboratório, cientistas colocaram várias pulgas em um recipiente com tampa de vidro. As pulgas, a princípio, pulavam com energia, mas batiam na tampa do recipiente e caíam de volta ao fundo.

Com o tempo, os cientistas tiraram a tampa do recipiente e verificaram que todas as pulgas já não pulavam para fora do pote. Porque elas tinham se habituado a pular apenas até a altura da tampa, embora tivessem potencial para pular várias vezes mais alto.

A partir daquele momento, as pulgas nunca mais pularam mais alto, mesmo que a tampa do recipiente nunca mais tivesse sido recolocada.

É assim que a maioria das pessoas funciona. Elas acreditam em limites que já não existem mais em sua vida, e isso as impede de crescer. Elas têm um modo de pensar negativo, pequeno, desestimulante, e têm hábitos, crenças e comportamentos ruins, que sabotam os seus planos e sucesso.

Então, se você não está conseguindo avançar, evoluir, não se sente caminhando para o objetivo ao qual você quer chegar, isso não quer dizer que não seja um vencedor. Apenas quer dizer que talvez esteja usando estratégias inadequadas, ou mesmo não esteja lançando mão de estratégia alguma em suas ações. E isso faz com que gaste muita energia, sem obter muito resultado.

É aqui que entra uma pergunta bastante importante, que, quando devidamente respondida, torna possível grandes avanços pessoais e profissionais: *o que é necessário para você virar a mesa e ter mais sucesso, para estar sempre pronto a subir para o próximo patamar na sua vida?*

Bem, já que estamos de acordo que, na verdade, todos querem e conseguem ser maiores e melhores em suas vidas, mas, mesmo assim, muitos ainda acreditam em limites imaginários, fica muito simples concordarmos que, para virar o jogo a seu favor, dar uma virada em sua vida, é preciso expandir seu modo de pensar, buscar novas competências, mais adequadas, e promover mudanças em seus comportamentos. Em outras palavras, é preciso planejar e promover o seu *turnaround*, a sua volta por cima, que o colocará definitivamente no caminho da vitória.

Mas o que é esse *turnaround*? Por que ele é tão importante na sua vida?

O *turnaround* é o processo que envolve um conjunto de fatores, que devem ser planejados e executados para lhe dar um novo impulso na vida. É a quebra de seus paradigmas, o rompimento com pensamentos e crenças que mantêm você preso a situações que não o satisfazem.

Fazer um *turnaround* na sua vida significa que a sua rota deverá ser trocada, suas regras habituais deverão ser quebradas, suas crenças serão abandonadas e substituídas por outras de acordo com o sucesso que você deseja alcançar.

A partir desse rompimento com seus hábitos e com seu modo de olhar para o mundo à sua volta, mudanças comportamentais surgirão, sua mente se expandirá, novas competências serão buscadas, trazendo como consequência um giro no seu eixo, que vai abrir-lhe uma visão de 360 graus sobre a sua vida e permitir que você enxergue possibilidades que antes nem imaginava, de modo que poderá escolher com precisão para onde quer ir.

Uma mudança como essa, sem dúvida, exigirá muita coragem, determinação e empenho de sua parte. Por isso mesmo, ela só acontecerá a partir do momento em que você decidir firmemente que é hora de virar o jogo na sua vida.

Então, você quer ter uma visão de 360 graus e escolher o caminho a seguir em sua vida? Este livro vai mostrar-lhe o que é necessário para sair de um possível estado de paralisia, apresentando estratégias reais e definitivas para o seu sucesso. O que você vai descobrir vai fazer com que avance para o próximo estágio de sua vida, com um plano estratégico forte e objetivo. Neste livro, você vai encontrar um Modelo de Transformação para fazer o seu *turnaround.*

Você vai receber instruções sobre como colocar a sua vida pessoal e os seus negócios na rota da realização máxima. O livro vai provocá-lo a agir para transformar o seu dia a dia, vai inspirá-lo e motivá-lo para gerar uma mudança significativa que se tornará um divisor de águas em sua vida.

A partir de reflexões importantes, o método apresentado neste livro vai sensibilizá-lo e estimulá-lo para as ações que o levarão a um aperfeiçoamento de suas competências pessoais e profissionais, liberando todas as suas potencialidades. Com o fortalecimento da integração das diversas áreas em sua vida e da sinergia com seus parceiros profissionais e com sua família, você ampliará sua participação, de corpo e alma, em seu próprio projeto de vida e de realização pessoal e profissional.

O mais animador é que é possível perceber que todas essas pessoas de sucesso têm certas características em comum: um *mindset* – modo de pensar – diferenciado, além de competências e comportamentos que fazem com que pensem e ajam de tal maneira que as levem aos seus objetivos. Independentemente de suas origens e das suas personalidades diversas, os multimilionários, as pessoas que conquistam seus objetivos, seguem sempre algumas regras, preceitos e comportamentos que lhes garantem as vitórias.

A boa notícia é que você pode também se inspirar no exemplo dos grandes vencedores para agir e dar um giro na sua vida, para colocá-la na direção do sucesso contínuo. Você pode criar o seu próprio *turnaround*, virar o jogo e alcançar tudo o que sempre desejou na vida.

Aqui está a sua certeza de que este método funciona

Uma das grandes verdades da vida é que ninguém pode ensinar os outros se antes não tiver aprendido. Ninguém pode provar que um método funciona se antes não o tiver testado.

Por isso, quero neste momento dar o testemunho de como o método que vou apresentar aqui funcionou para mim – e funciona até hoje e vai continuar a funcionar. Assim, quero dar a você a segurança para aplicá-lo e transformar também a sua vida.

Quando falo que você pode fazer o *turnaround* em sua vida, digo isso com a certeza de quem já realizou essa transformação e também já inspirou e orientou muitas outras pessoas a mudar suas vidas para melhor.

Eu nasci em uma cidade de 13 mil habitantes, no interior de São Paulo. Nasci em uma família pobre, humilde, com pouquíssima escolaridade – minha mãe estudou até a quarta série do primário, e meus avós nem mesmo passaram pela escola. Éramos uma família de trabalhadores da roça, e meu pai nos abandonou quando eu tinha dois anos. Devido à vida atribulada de minha mãe, que trabalhava muito para nos manter, muitas vezes eu ficava aos cuidados de minha irmã mais velha; outras vezes, dos meus avós.

É claro que, nessas condições, não dava para esperar que o meu destino fosse dos mais gloriosos. Era difícil imaginar que eu poderia me tornar um empresário de sucesso.

Naquela época, eu morava com meus avós, a quem sou eternamente grato. Eles foram, por muito tempo, meus avós e meus professores. Ensinaram-me tudo o que a escola e a vida não conseguem ensinar: valores para ser uma pessoa idônea, com caráter forte e íntegro – valores que hoje são intrínsecos a minha vida.

Minha mãe acordava às quatro horas da manhã, às cinco pegava um caminhão – transporte da época para levar os boias-frias, como eram conhecidos os trabalhadores rurais. Ela voltava para casa sempre depois das seis da tarde – era uma jornada de trabalho longa, trabalho sujo, pesado, pois arrancar batatas da terra não era um serviço para mulher. Mas minha mãe não tinha escolha. Afinal, tinha cinco bocas para alimentar: ela e mais quatro filhos.

Quando minha mãe voltava da roça, era uma alegria para mim. Mas me lembro de um dia em que ela voltou, correu para o fogão para preparar nossa comida. Naquele dia, quando trouxe a comida, ela serviu um prato só com feijão, pois esse era nosso único alimento daquele dia. Notei, porém, que ela não estava comendo. Achei estranho, sem entender muito o que estava acontecendo. Mesmo assim, empurrei o prato em direção a ela. *"Come, está gostoso como sempre, o melhor feijão do mundo,* mãe", falei. *"Obrigada, filho, mas pode comer, porque estou sem fome"*, ela respondeu sorrindo, mas depois de chorar.

Naquele dia, não entendi o que estava acontecendo. Mas, no dia seguinte, compreendi que ela não estava comendo porque a comida não era suficiente para todos nós. Então chorei muito, não por mim, mas por ela, uma mulher batalhadora, sofrida e uma heroína, porque criar sozinha quatro filhos não era nada fácil naqueles tempos.

Foi então que decidi que tinha que mudar aquela situação. Tive que amadurecer com apenas nove anos de idade. Resolvi que iria criar um destino diferente para mim e proporcionar uma vida melhor para minha família. Essa decisão considero como sendo o meu primeiro *turnaround,* porque foi a partir desse dia que comecei a virar o jogo da minha vida.

Hoje compreendo que, instintivamente, eu havia compreendido a minha primeira grande lição de vida: *"nós não conseguimos mudar o nosso início, a forma como as coisas começaram na nossa vida, mas podemos mudar o nosso final".*

Fui à luta, sabendo que muito do sustento da minha família dependia também de mim. Aos nove anos de idade, já iniciava minha vida de trabalho. No quarteirão próximo ao que eu morava, havia uma senhora, a Dona Esmeralda – uma pessoa doce, cativante, com um coração gigante. Foi ela quem me deu a primeira oportunidade de trabalho: eu buscava leite para ela em um sítio, não muito longe, e ela me pagava alguns poucos cruzados, moeda da época, o que para mim era algo bastante significativo. Foi ali que comecei a entender a importância do trabalho. Nunca fui obrigado por meus familiares a trabalhar, mas eu me sentia na obrigação de ajudar, devido às circunstâncias da nossa vida.

Depois disso, fui trabalhar vendendo coxinhas – aqueles salgados feitos de farinha e batata, recheados com frango desfiado e temperado. Dos onze aos doze anos de idade, eu saía da escola, almoçava e corria para a casa de uma senhora que se chamava Alice, que produzia os salgados e enchia com eles uma cesta feita de bambu – cabia algo em torno de trinta salgados. Eu saía com a cesta cheia e voltava com ela vazia. Nunca voltei com uma única coxinha sobrando. Eu vendia 100%. Tinha isso como meta clara: vender 100% era meu compromisso, comigo mesmo e com aquela senhora. Eu tinha comigo que devia respeitar isso e fazia questão de sempre cumprir essa meta.

E foi nessa ocasião que aprendi a lição do compromisso e da responsabilidade. E percebi também que eu tinha a habilidade de cativar pessoas e vender.

Aos treze anos, trabalhei atrás de um balcão de um bar e me lembro de que o balcão era quase do meu tamanho – sempre fui de estatura baixa, mas isso nunca foi um limitador em minha vida. Na época de criança, minhas atividades eram escola e trabalho. Em raros momentos, quando não estava cansado e sobrava algum tempo, eu brincava com meus amigos. Minhas prioridades sempre foram estudar e trabalhar.

Dois anos depois, fui ajudar um amigo em sua festa de aniversário, ficando atrás de um balcão, abrindo refrigerantes, cervejas, fazendo sucos para os convidados. Lembro-me muito desse dia, porque um senhor português de nome Manoel, dono do restaurante onde estava acontecendo a festa, gostou tanto do meu desempenho que me convidou para trabalhar com ele. No início, só trabalhei para ele nos finais de semana, porque não tinha aula na escola e, além disso, eu já trabalhava em outro lugar durante a semana. Mas logo nos primeiros dias de trabalho, o Sr. Manoel já me chamou para trabalhar com ele a semana inteira. Aceitei o convite e mudei de emprego.

Passados três meses, ele me chamou para uma conversa. Falando e olhando nos meus olhos, o Sr. Manoel disse: *"Edgar, gosto muito de você, do seu trabalho, do seu empenho e do seu esforço. Ainda mais vindo de um garoto de apenas quinze anos de idade. Quero te fazer uma proposta...Você aceitaria ser o gerente do meu restaurante? Quero passar essa responsabilidade para você. O que acha?"*.

É claro que não pensei duas vezes. Aceitei o desafio, embora a responsabilidade fosse grande. Mas assumi e cumpri meus compromissos, porque sempre fui um trabalhador dedicado e esforçado e tinha um sonho: abrir meu próprio negócio. E eu sabia que, com aquela oportunidade, me aproximaria mais da realização do meu sonho.

Foi aí que comecei a aplicar um dos ensinamentos dos meus avós: *poupar parte dos meus rendimentos*. Todos os meses eu separava uma quantia, entregava na mão do meu avô, e ele a depositava em uma poupança. Fiz isso durante dois anos. Poupei o suficiente para dar meu primeiro grande passo para tornar-me um empreendedor. Fiz algumas pesquisas, encontrei uma lanchonete que estava à venda, fiz a proposta ao dono e comprei o meu primeiro negócio. Esse considero meu segundo *turnaround*. Foi ali que iniciei a minha jornada como empreendedor.

Foi então que, aos dezessete anos, tive a notícia de que seria pai. No primeiro momento, tomei um grande susto e não sabia o que fazer. Mas logo absorvi essa primeira impressão e então agradeci a Deus por mais essa oportunidade, de ser pai. Acredito que nada acontece por acaso; aprendi que tudo que vivemos tem uma razão e nos serve como aprendizado, como motivo de crescimento e fortalecimento. Sem dúvida alguma, a partir dali eu teria que amadurecer mais rapidamente ainda, pois tinha uma grande responsabilidade em minhas mãos.

Aos 18 anos, comprei meu segundo negócio: a primeira sorveteria *self-service* da cidade. E foi também naquele ano que encontrei meu pai pela primeira vez – até então eu só o conhecia por fotos. Aquele ano foi muito especial para mim. Foi também quando nasceu meu filho. Foram tantos acontecimentos em um único ano, com muitos sentimentos diferentes. Haja coração!

E foi também naquele ano que meu irmão mais velho decidiu mudar-se para o Japão. Eu nunca tinha me separado dele antes e naquele momento fiquei muito triste, mas entendi que ele buscava algo melhor para sua vida, e eu torcia para que tudo desse certo. Com um sentimento misto de tristeza e felicidade, me despedi dele.

Passados seis meses, meu irmão me convenceu a passar uma temporada no Japão. Pouco tempo depois, lá estava eu embarcando para aquele país.

Despedir-me da minha família foi outra tristeza imensa. Mas eu estava atrás de um sonho, um sonho maior, maior do que todos os que eu já tinha sonhado. Vendi minha lanchonete, para deixar todas as pendências financeiras em dia, e deixei a sorveteria para minha mãe tocar temporariamente em minha ausência. Parti para o Japão com objetivo de ficar apenas dois anos, ganhar um bom dinheiro e ter uma experiência em um país de primeiro mundo. Esse foi o meu terceiro *turnaround,* em que tive de deixar aqui no Brasil minha mãe, meus avós, meus irmãos, amigos e todos que eu amava e partir para longe. Não foi fácil, mas tive que tomar essa decisão para que eu pudesse atingir meus objetivos.

No Japão trabalhei em fábricas automotivas e também na construção civil, onde muitas vezes trabalhava de doze a catorze horas por dia, debaixo de neve e de um frio terrível. E foi ali que aprendi outra grande lição: *"No pain, no gain"*, isto é, *"Sem dor, sem ganho"*.

Aprendi a suportar a dor – a dor da distância da família, a dor do frio, a dor do trabalho intenso e prolongado. Uma dor que, aliás, eu já conhecia desde os meus nove anos de idade: a dor de ver minha mãe deixando de comer porque senão não teria comida suficiente para os filhos. Dessa forma, tornei-me uma máquina de suportar a dor, de ser resiliente, pronto para aprender a superar obstáculos.

Eu morava com meu irmão, que desde muito cedo foi como um pai para mim. Desde criança, ele cuidava para que os meninos maiores não brigassem comigo, era meu protetor. E lá no Japão ainda mais, ele vivia preocupado, zelando por mim. Aliás, éramos apenas eu e ele lá do outro lado do mundo, o que fez com que nos aproximássemos ainda mais como irmãos e como amigos.

Depois de dois anos e meio no Japão, resolvi voltar para o Brasil. Eu tinha conseguido poupar uma quantia que, para a minha idade de 21 anos, era muito boa. Consegui comprar duas casas, tornei-me sócio de uma locadora de vídeos e de uma danceteria. E foi aí que levei meu primeiro grande tombo. Este último negócio me custou muito: tive que fechar a danceteria e também vender minha sorveteria, vender a sociedade na locadora e vender uma das casas. A outra casa eu tinha trocado por um terreno com uma pequena construção, em uma chácara. Voltei praticamente para a estaca zero, sem dinheiro, sem carro e ainda com dívidas. Tudo o que eu tinha construído desde meus dezessete anos perdi em apenas um ano. Senti o gosto do fracasso, senti que tinha que começar tudo de novo.

Naquela época, não tive muita escolha: eu estava bastante abalado, sem alternativas, e então resolvi voltar ao Japão para recomeçar, aos 22 anos.

Trabalhei mais dois anos somente para pagar dívidas. Mas logo voltei a empreender. Como a comunidade brasileira no Japão era grande, na época com aproximadamente 420 mil brasileiros, vi nisso uma oportunidade. Pensei em fazer algo para esse público e imaginei uma revista com conteúdo em português e distribuição gratuita. O objetivo era vender anúncios para empresas voltadas para os brasileiros – na época eram mais de 380 empresas brasileiras instaladas no Japão. Lancei-me nesse desafio e falhei novamente. Perdi todas as minhas economias e tive que vender o único bem que me restava, a chácara que tinha em minha cidade, para pagar contas. E então fui morar com um amigo, morar de favor, pois não tinha dinheiro para nada, fosse para pagar um aluguel ou até mesmo para comer.

Naquele momento, aprendi uma nova lição: *não basta apenas querer empreender. É preciso ter conhecimento e desenvolver as habilidades necessárias.* E esse era um ganho que, uma vez adquirido, era irreversível – porque bens você ganha e perde, empresa você abre e fecha, mas o conhecimento adquirido sempre vai acompanhá-lo, sempre vai expandir o seu potencial. E foi isso que eu fui buscar, baseando-me na frase eternizada por Benjamin Franklin: *"Investir em conhecimento rende sempre os melhores juros"*.

Foi essa conscientização que levou, finalmente, à minha expansão de *mindset*. Na busca incessante pelo conhecimento, comprei dezenas de livros, me tornei um leitor assíduo, lia uma média de doze livros por ano. Investi em treinamentos com as melhores instituições de educação executiva do Japão, como a Toyota Enterprise, JALAcademy e a Door Training. Fui estudar PNL (programação neurolinguística) com seu criador, Richard Bandler, em Barcelona, na Espanha.

Vim várias vezes ao Brasil para investir em treinamentos, também passando por FGV, INSPER, ESPM, Dale Carnegie Training, e participando de seminários com alguns gurus internacionais como Jordan Berfort (*O lobo de Wall Street*), Richard Bandler (cocriador da PNL), Robert Cialdini (PhD em persuasão), Kevin Harrington *(SharkTank)*, Brian Tracy (PhD em coaching), Chris Gardner, Robert Kiyosaki *(Pai rico, pai pobre)*, George H. Ross (conselheiro do Donald Trump), dentre outros *players* nacionais e internacionais.

Estudei pesquisadores de grande sucesso como Theresa Cheung, T. HarvEker, Spencer Johnson, Kenneth Blanchard, Allan Pease, OGMandino,

Dale Carnegie, John Gray, Mark Fisher, Napoleon Hill, Jack Welch, Pierre Weil, Roland Tompakok, Jo EllanDimitrius, Brian Tracy, Joseph Murphy, Anthony Robbins, James Hunter, Sun Tzu, Brendon Burchard, John C. Maxwell.

Assim, buscando conhecimento nas grandes instituições de educação e estudando os mapas dos vencedores e os comportamentos de pessoas foras de série, os chamados *outliers,* compreendi que é mais fácil e mais inteligente aprender sobre sucesso com quem já chegou lá.

Enfim, fiz as minhas escolhas, e elas fizeram o que sou hoje. Apliquei em minha vida o método que vou ensinar aqui neste livro, e posso afirmar, sem sombra de dúvida: funciona. Funcionou para mim e vai funcionar para você.

Hoje me considero um empresário bem-sucedido no segmento do mercado imobiliário, estando presente em mais de quarenta cidades em nove estados do Brasil. Agora, com 39 anos de idade, abracei um novo objetivo, maior e que vai além do meu próprio sucesso. Meu propósito de vida, meu ideal hoje, é provocar nas pessoas a vontade, a determinação e a energia para fazer as mudanças necessárias para produzir o *turnaround* em suas vidas. Quero despertar, inspirar, motivar e mostrar a você que existe um caminho, que existe uma possibilidade real de vencer, de se desenvolver, tornar-se um *expert,* um especialista em sua área e ganhar muito dinheiro e ser bem-sucedido.

E é essa a razão pela qual escrevi este livro. O propósito de ajudar o maior número possível de pessoas me despertou ainda mais a vontade de semear o sucesso e me deu forças e determinação para criar um programa, um modelo voltado para que as pessoas façam o seu *turnaround* e tornem sua vida mais produtiva, feliz e completa, e que atinjam seus objetivos tão sonhados.

Tudo sobre o que vou falar nas páginas seguintes é exatamente "o que" e "como" apliquei em minha vida, e sigo aplicando, como uma filosofia de vida, uma cultura profissional, voltada para o sucesso e a realização pessoal e profissional.

Tenho plena certeza de que, se você incorporar essa filosofia e praticá-la, também alcançará seus objetivos desejados. E, quem sabe, será você o próximo a escrever um livro narrando sua trajetória de vencedor e ensinando muitas outras pessoas também a seguir por esse caminho.

O desafio da vida está aí para ser vencido. Agarre essa oportunidade com força, vontade e determinação e siga em frente. Tenha sempre em mente que os tropeços surgirão, mas não o derrotarão se você tiver em mente este pensamento: *"Quando perder a aposta, não perca a lição"*.

UMA VIDA ABAIXO DO QUE PODERIA SER

Muitas pessoas têm uma vida abaixo de suas expectativas e não sabem como virar o jogo quando estão fracassadas, no fundo do poço, perdidas. Elas têm um modo de pensar negativo, pequeno, desestimulante, e hábitos e comportamentos ruins, que sabotam os seus planos e o seu sucesso. Essas pessoas:

- Não sabem como ganhar mais dinheiro;
- Não sabem como crescer na vida;
- Não sabem como fazer para viver a vida em outro patamar;
- Não sabem como virar o jogo quando estão fracassadas, no fundo do poço, perdidas;
- Não conseguem dar uma guinada em sua vida ou em seus negócios;
- Não conseguem acumular competências que possam ser facilitadoras no caminho para o sucesso.

Um dos grandes problemas que as pessoas enfrentam e que as mantêm presas a uma situação sem crescimento e sem resultados é a sensação de estar em uma *"zona de conforto"*. O conforto aparente gera o comodismo de se manter nessa situação. E isso não permite que elas virem o jogo, que caminhem rumo ao crescimento, à evolução e à conquista do prazer de viver em outro nível, em outro patamar, muito melhor do que aquele que estão vivendo.

Outro problema que mantém as pessoas presas a uma situação insatisfatória é que elas costumam ser imediatistas. Não estão habituadas a dar o tempo certo para que as mudanças em suas vidas aconteçam. Se não conseguem resultados muito rapidamente, passam a acreditar que não vale a pena lutar.

Os problemas que impedem as pessoas de crescer, de subir para um novo patamar de vida, podem ser separados em três categorias principais, envolvendo os três pilares para a construção do sucesso:

- Existem problemas relativos ao *mindset* da pessoa;
- Existem problemas que têm a ver com a parte comportamental do indivíduo;
- Existem problemas que estão ligados às competências não desenvolvidas pela pessoa.

Em resumo, faltam competências, existem comportamentos ruins, o *mindset* é pequeno – mentalidade negativa, sentimentos de inferioridade, pessimismo, crenças negativas. Vamos dar uma olhada mais de perto em cada um desses casos:

Problemas relativos ao *mindset* da pessoa – neste tópico vamos trabalhar especificamente para corrigir problemas de *mindset*, ou seja, a forma de pensar da pessoa, que pode estar atuando no sentido de fazer com que ela acredite merecer menos e, por isso mesmo, não lute o suficiente para conseguir o que poderia conquistar.

Problemas que têm a ver com a parte comportamental do indivíduo – é nesse tópico que vamos abordar os possíveis problemas de comportamento do indivíduo, que provavelmente estarão dificultando sua ascensão a patamares mais altos na vida.

Problemas que estão ligados às competências não desenvolvidas pela pessoa – aqui vamos abordar mais especificamente os problemas das competências que faltam ser desenvolvidas para que a pessoa reúna as condições para evoluir, tanto como profissional quanto como ser humano.

Para podermos seguir adiante nessa jornada de crescimento e libertação do seu potencial de sucesso, antes precisamos ter bem clara a seguinte premissa: *"É um erro buscar o equilíbrio cedo demais"*.

É um erro buscar o equilíbrio cedo demais

Precisamos nos desenvolver em diversas frentes simultaneamente para atingir o sucesso pleno. Todas essas frentes estão reunidas em um conjunto de estratégias que chamo de *"A arte de virar o jogo, com um Modelo de Transformação baseado nos três pilares do sucesso: mindset expandido, mudanças comportamentais e acúmulo de competências"*. Apenas quando tivermos uma boa parcela dessas competências desenvolvidas é que poderemos desfrutar de um sucesso consistente, coerente e duradouro e poderemos ter aquilo que chamamos de equilíbrio na vida.

Porém, uma coisa que sempre ouço as pessoas falarem é: *"Você tem que ter equilíbrio, para ter sucesso na vida"*. Como se isso fosse o ponto de partida para a jornada. Quando, na verdade, o equilíbrio é apenas algo que se conquista depois de se ter construído sucesso consistente.

Veja: com todas as inúmeras pessoas vencedoras que entrevistei, em todos os livros que li, todas as biografias que estudei, ficou evidente que o equilíbrio só vem depois da realização de um objetivo, depois de um momento de realização na vida da pessoa. Quando a pessoa está pobre, sem dinheiro, está cheia de dívidas, atolada em problemas, ela definitivamente não está pensando em equilíbrio, nem se sente disposta a buscá-lo. Ela tem uma necessidade maior a ser saciada, resolvida, antes de buscar algo mais amplo, como o equilíbrio de vida.

Existe um conceito que explica bem isso, criado pelo psicólogo norte-americano Abraham H. Maslow, que determina as condições necessárias para que cada ser humano atinja a sua satisfação pessoal e profissional – ou seja, para que ele possa atingir o equilíbrio na vida. É chamado de Pirâmide de Maslow.

De acordo com esse conceito, os seres humanos vivem para satisfazer as suas necessidades, com o objetivo de conquistar a autorrealização. A Pirâmide de Maslow trata justamente da maneira como essas necessidades se manifestam e precisam ser cumpridas na vida do indivíduo.

A Pirâmide de Maslow é dividida em cinco níveis de necessidades, organizadas como a seguir (em ordem decrescente de prioridade de satisfação):

- Necessidades de autorrealização (é o topo da Pirâmide e também a necessidade menos prioritária);
- Necessidades de *status* ou de estima;
- Necessidades sociais;
- Necessidades de segurança;
- Necessidades fisiológicas (é a base da Pirâmide e também a mais prioritária).

Para progredir nessa hierarquia e, portanto, conquistar níveis mais elevados de satisfação, é necessário satisfazer as condições mais elementares da Pirâmide, passando-se então para os níveis seguintes, um a um, até se alcançar o topo. É importante destacar que cada uma dessas etapas (a começar pelas necessidades fisiológicas) deve ser saciada (pelo menos em parte) para que o indivíduo possa passar para o nível seguinte da pirâmide.

Dentro do que tenho levantado e constatado em minhas pesquisas e em meu trabalho, posso assegurar que o equilíbrio na vida do indivíduo começa a acontecer à medida que ele sobe na hierarquia da Pirâmide, e não podemos enxergar o equilíbrio como condição necessária e obrigatória para podermos realizar essa escalada rumo ao topo.

Não há como pensar em equilíbrio quando a pessoa tem uma conta para pagar e não tem os fundos necessários, quando tem uma dívida difícil de sanar, quando não está conseguindo pagar o aluguel ou quando vai ser despejada. Não adianta chegar para o indivíduo e dizer: *"Você tem que ter equilíbrio neste momento"*. Naquele momento, ele tem outras necessidades que falam mais alto em sua cabeça.

Existem algumas falsas soluções, muitas vezes moralistas ou simplistas demais, propagadas hoje que, para mim, são pura balela. Eu nunca conheci ninguém que era pobre financeiramente, não tinha dinheiro, estava cheio de problemas, mas ainda assim vivia de forma equilibrada, estava bem com a família, nos negócios, na saúde, na contribuição, ajudava as pessoas, etc., e que enriqueceu e teve sucesso dessa forma.

Temos que ser realistas se quisermos ser atuantes e proativos neste mundo. Não existe esse tipo de história. Nem mesmo se você analisar alguém que ganhou na loteria, que teve um golpe do acaso tremendo na vida, alguém fora da curva, mesmo assim você vai ver que o ponto de partida dele não foi a busca do equilíbrio.

Todos os milionários, bilionários e multimilionários que conheci e que eventualmente você tenha conhecido vão dizer talvez que hoje eles têm equilíbrio na vida. Mas todos eles vão dizer também que esse equilíbrio só aconteceu depois de estarem com a conta bancária grande, para que não precisassem se preocupar com as despesas do dia a dia. Agora eles estão confortáveis financeiramente e têm tempo e cabeça boa para distribuir energia, dinheiro, benefícios e muito mais para outras pessoas, e também ter uma vida mais centrada e equilibrada. Todos eles tiveram momentos de sacrifício em suas vidas e tiveram que sacrificar algo para colher o que buscavam. Então, nessa época de batalha, eles não podiam nem mesmo pensar em equilíbrio.

Essa é uma regra que tenho visto sendo aplicada na maioria dos casos que estou estudando. Portanto, não se cobre ter equilíbrio no momento se você está construindo o seu sucesso. Foque naquilo que é preciso fazer para vencer cada etapa na escalada da pirâmide da sua vida e vá em frente.

PARA VOCÊ VIRAR O JOGO

Como você resolveu ler este livro, arrisco dizer que é bem possível que hoje esteja entre aquelas pessoas que querem dar uma guinada na vida, virar o jogo e trilhar um novo caminho, melhorar e seguir rumo ao sucesso, para se tornarem vencedoras, ou para consolidarem as conquistas que já têm.

Porém, não podemos negar que a maioria das pessoas não conhece a si mesma, não consegue entender suas qualidades, suas habilidades, suas competências e, muitas vezes, nem mesmo acredita que é capaz, ou merecedora, do sucesso.

Por isso mesmo, o ponto-chave e o ponto de partida para qualquer mudança é, em primeiro lugar, entender onde você está, quais são seus pontos fracos e fortes. Vamos trabalhar isso com mais detalhes e com mais intensidade nos próximos capítulos, mas, de início, quero ajudá-lo a fazer uma reflexão, fazendo-lhe algumas perguntas. Pense sobre esses pontos com calma e sinceridade e depois responda às questões a seguir.

Dê uma nota de 0 a 10 para cada um destes itens, sendo que 0 significa que você não tem nada dessa característica e 10 quer dizer que você se considera um *expert* nesse ponto.

PERGUNTA	SUA NOTA (0 A 10)
Você administra bem seu tempo?	
Você se considera persistente?	
Você se automotiva?	
Você está motivado na maior parte do tempo?	
Você tem um planejamento estratégico de crescimento e de geração de riqueza?	
Você monitora seu planejamento e o verifica periodicamente?	
Você é uma pessoa resiliente, supera obstáculos facilmente?	
Você trabalha duro, 12 horas por dia, 6 dias por semana?	
Você se considera persuasivo?	
Você é proativo, tem atitude?	
Tem iniciativa própria?	
Você traça metas claras e objetivas?	
Você tem o hábito de se desenvolver com frequência?	
Você sonha grande? Você pode dizer que é um grande sonhador?	
Você se considera otimista? Tem uma atitude mental positiva?	
Você considera que retém o controle do sucesso em suas mãos?	
Você é criativo? Inovador?	
Você tem crenças e valores estimulantes e positivos?	
Você faz algo para a sociedade e retribui o que recebe do mundo?	
Você é visto como um especialista em sua área? Um expert?	

Agora analise suas respostas. Sempre que você deu uma nota menor ou igual a 5 a uma pergunta significa que esse é um item com que você deverá ter especial dedicação. Será preciso corrigir, trabalhar o mais rápido possível. Se tiver dado uma nota entre 5 e 6, ainda é recomendável que você trabalhe em melhorias nesses pontos. Se atingir 7 ou 8, você está bem nesses quesitos, mas conquistar um sucesso sólido ainda exige mais do que isso. Para atingir a excelência e ter a certeza de estar lutando bem e indo na direção do sucesso, você precisa se esmerar, precisa buscar as notas maiores que 9.

Então, já de início, você vai perceber em que áreas precisa colocar mais energia para fazer o seu *turnaround,* isto é, quais pontos você vai precisar desenvolver mais para poder dar a virada que deseja em sua vida.

Se você não conseguiu responder a algumas dessas perguntas, não se vê nessa situação descrita, ou não tem alguns desses comportamentos, fique tranquilo. Você está no grupo da maioria das pessoas que ainda não deu a virada na vida e que só precisa de um estímulo e de orientação para seguir adiante.

Com o método apresentado neste livro, você vai incorporar tudo o que é necessário para fazer as mudanças que deseja para conquistar suas metas. E, acredite, o sucesso chegará para você também, assim como chegou para mim.

O ponto de partida para essa transformação é o inconformismo. Pense que você talvez se inclua hoje entre aquelas pessoas que estão insatisfeitas com o estado em que se encontram. E isso é muito bom, porque a insatisfação é a mãe da mudança, do progresso e da evolução.

Pode ser que você seja um estudante buscando aprimoramento em sua formação, ou um profissional liberal que quer expandir seus horizontes, um executivo que deseja obter melhores resultados para sua empresa, ou mesmo um empreendedor que não ganha ainda tanto dinheiro quanto gostaria, ou que não está satisfeito com os resultados que conquistou. É possível que você seja alguém que não está realizado em alguma área de sua vida, mas que não se conforma com isso e busca meios de mudar essa realidade.

Talvez você esteja tendo dificuldades para alcançar suas metas e realizar seus sonhos. É possível que você já tenha percebido que vive muito abaixo do que desejaria viver e, ainda mais crítico, está muito longe daquilo que você tem certeza de que merece e tem capacidade de realizar.

Pode ser que você já tenha consciência de que pode muito mais do que vem realizando, mas ainda não saiba como virar esse jogo.

Talvez você esteja percebendo que tem um modo de pensar negativo, pequeno, desestimulante, e que seus hábitos e comportamentos sabotam os seus planos e o seu sucesso.

"Será que você acredita que não sabe mesmo como ganhar mais dinheiro, ou crescer na vida, ou apenas não está percebendo como pode dar a volta por cima nos momentos de dificuldades?" Pense, reflita sobre isso.

Alguma vez você já acreditou que não tem as competências ou os recursos necessários para trilhar o caminho do sucesso? Ou será, quem sabe, que você apenas está acomodado a uma aparente "zona de conforto", em que não vive muito daquilo que sonha, mas se conforma pensando que "está bom assim"?

Eu diria até que é possível também que você queira crescer, mas é muito imediatista, quer tudo "para ontem" e não consegue se dedicar em seus projetos pelo tempo necessário para que eles aconteçam.

Talvez nenhuma dessas situações se aplique a você, mas com certeza conhece alguém que pensa e age dessa maneira.

Pois bem, de qualquer maneira, pare um pouco para pensar como estão suas conquistas e, principalmente, suas aspirações, seus desejos, seus sonhos. E verifique quais são as suas dificuldades para atingi-los. Perceba o que falta para você colocar toda a sua energia e dar aquela virada na sua vida que vai levá-lo ao mais alto patamar do sucesso.

Lembre que identificar os problemas que você tem de enfrentar é o primeiro passo para você construir o seu *turnaround*, para você virar a própria mesa e começar a trilhar os caminhos que o levarão à vitória.

É muito importante levar em conta que se a preguiça, o descaso, a falta de ânimo ou de uma crença positiva o levarem a fazer as coisas pela metade, você só conseguirá, no máximo, a metade do que sonha. E *"metade do sucesso"* é sempre um fracasso completo.

Se você quiser o todo, o sucesso completo, terá que se convencer de que é isso que quer e batalhar por isso. Terá de buscar esse todo, convicto de que vai conseguir obtê-lo. Quem tem por lema o grito de guerra *"Eu conseguirei"* é que vence no final. Nem sempre a vitória é dos ligeiros, nem sempre a batalha é vencida pelos poderosos. A vitória é para quem acredita nela.

Se você pensa na possibilidade de derrota antes de sair à luta, será mesmo derrotado. Se você não bater o pé e gritar que vai conseguir a qualquer preço, não conseguirá mesmo. Essa história de que *"valeu a intenção"* é conversa fiada. Ninguém nunca conseguiu nada, até hoje, somente com a intenção. Você não será o primeiro a quebrar essa regra. O sucesso pode começar na intenção, mas você terá que ter espírito de luta para realizá-lo.

Deixe o comodismo de lado. Abra a sua mente. Acredite que você tem agora o seu momento de virada, mas precisa reconhecer essa oportunidade acontecendo em sua vida.

Você pode mudar tudo o que quiser em sua vida, pode reverter qualquer processo que esteja atrapalhando a sua felicidade e o seu sucesso. Por isso, turbine a sua ação, renove a sua intenção e positive as suas crenças.

Saia para a rua e realize o que é preciso. Passe a fazer mais e deixe de ficar esperando acontecer. Lembre-se de que nada acontece para quem nada busca, para quem nada faz.

Se você quer uma oportunidade, tem que criá-la. Ou você vai ficar esperando que ela bata à sua porta?

Intenção sem ação é pura ilusão. Então, saia desse marasmo e parta para a ação. Provoque a grande virada da sua vida.

Agora quero deixar aqui um aviso muito bem claro: se você não der um jeito na sua vida, a vida vai dar um jeito em você. E olha que a vida não é lá muito jeitosa, não. Ela é parecida com uma manada de elefantes avançando sobre ovos. Então, ou você assume a responsabilidade pelo que quer da vida, ou a vida vai atropelar você.

É agora que você deve partir para cima e virar logo esse jogo. Assuma que esta é definitivamente a hora do seu *turnaround!*

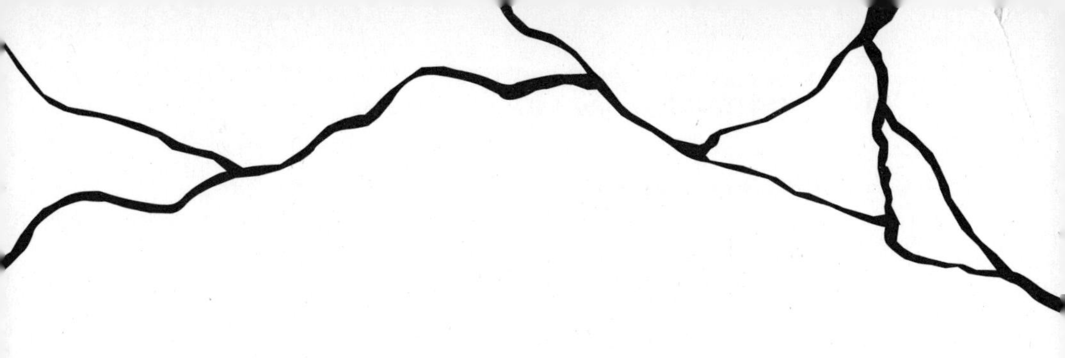

O QUE O IMPEDE DE FAZER SEU *TURNAROUND*?

Nem todas as pessoas conseguem virar o jogo da vida e conquistar o que desejam. Grande parte delas tem um modo de pensar negativo, pequeno, desestimulante, e tem hábitos e comportamentos ruins, que sabotam os seus planos.

As principais causas da falta de sucesso e da dificuldade para fazer o seu *turnaround,* para a maioria das pessoas, estão relacionadas a fatores como os que seguem:

1. Comportamentos incompatíveis com o sucesso, como:

    - Negatividade acentuada;
    - Falta de foco nos objetivos;
    - Falta de disciplina;
    - Não fazer o que precisa ser feito;
    - Fazer corpo mole no trabalho necessário ao sucesso.

2. Um modo de pensar *(mindset)* que não leva ao sucesso, como:

- Falta de motivação;
- Crenças limitantes;
- Ficar preso ao passado;
- Não ter paixão por vencer;
- Desprezo pelos detalhes;
- Seguir pessoas que não o levam ao lugar certo;
- Falta de persistência e de resiliência.

4. Falta de investimento em conhecimentos essenciais, como:
   - Práticas estratégicas;
   - Como se tornar melhor a cada dia;
   - Como construir conexões de qualidade;
   - Como monitorar seus resultados e sua evolução;
   - Como corrigir sua rota quando o caminho estiver errado.

Uma das principais razões pelas quais as pessoas não conseguem reverter os processos que atrapalham suas vidas é o apego a hábitos negativos. Os maus hábitos – como ficar assistindo a programas ruins na tevê, protelar ações e atitudes importantes, pensar de maneira negativa, dar justificativas em vez de buscar soluções – estão entre as principais atitudes que drenam energia e impedem as pessoas de fazer um *turnaround*.

A GRANDE VIRADA: DANDO A VOLTA POR CIMA

"O descontentamento é o primeiro passo na evolução de um homem ou de uma nação."

- OSCAR WILDE

A satisfação não é, nem nunca será, o combustível de uma autêntica volta por cima. Quem está satisfeito demais se acomoda e não faz o que é preciso para avançar, para progredir, para mudar a situação em que se encontra. Para uma grande virada, é preciso estar descontente com o atual estado das coisas.

Em minha trajetória pela vida, acumulei uma série de experiências que me tornaram o que sou hoje. Vivenciei diversos *turnarounds* pessoais e também presenciei e estudei uma série de viradas de muitas outras pessoas, famosas ou não. E era nos momentos de maior inconformismo que eu decidia que tinha que fazer algo para mudar a situação.

Hoje quero revelar para você os segredos e os caminhos do sucesso, embasados na experiência e na vivência de quem chegou lá, de quem conquistou tudo pelo que se propôs a lutar. Este é meu propósito de vida:

contribuir, ajudar e provocar mudanças na vida das pessoas. Tenho certeza de que já estou provocando isso em você!

A primeira lição é: quem quer evoluir, elevar seu padrão de vida, não pode ficar parado, esperando pela sorte. Só tem sorte quem acredita nela e vai buscá-la com garra e determinação. Ela não é automática, não vem até você. Sorte é resultado, não é desejo.

O ponto seguinte é entender que é preciso sair do marasmo tedioso de esperar que as coisas boas aconteçam na sua vida. É necessário ir em busca das mudanças que você deseja alcançar na sua vida. É você quem tem que fazer a mudança, é você quem precisa conseguir o que quer.

Outro ponto importante é que será preciso parar de *"terceirizar seus resultados negativos"*. Ou seja, só você é o responsável pelos seus fracassos – assim como pelos seus sucessos. Não adianta querer colocar a responsabilidade por seus fracassos nas costas dos outros. É preciso assumir o que você faz e as consequências dos seus atos. Só assim você chamará para si o poder de mudar as coisas, de dar uma virada na sua vida.

Entenda que é o líder do seu destino. E você pode até ter sofrido alguns fracassos, mas não é um fracassado. Pelo menos não precisa ser. Você pode mudar isso. Agora!

Para virar o jogo a seu favor, dar uma virada em sua vida, é preciso expandir seu *mindset,* buscar competências adequadas e promover algumas mudanças em seus comportamentos.

Os princípios de vida do *turnaround* são as bases de uma estratégia de sucesso composta por diversas atitudes que, quando executadas com regularidade e compromisso, vão possibilitar que você vire a própria mesa – isto é, saia de uma posição de vida que não o satisfaz e o leve para o próximo patamar de realização, e depois para o outro, e assim por diante, para que chegue ao topo do sucesso, e ainda mais além. Sim, porque o *turnaround* é uma filosofia que abraça a ideia do ensinamento japonês chamado *Kaizen: hoje melhor do que ontem, e amanhã melhor do que hoje* – ou seja, o princípio da melhora contínua e gradual.

A solução para você se preparar e efetivamente criar a sua própria volta por cima, de modo a pegar o caminho para a vitória, apresentada neste livro inclui ajudá-lo a abandonar sua "zona de conforto" e lidar de modo adequado com a ansiedade e a falta de continuidade provocadas pelo imediatismo.

Particularmente, driblei a ansiedade me dedicando com força total aos meus objetivos. Considero isso como meu grande ponto positivo. Em todas as minhas viradas, empreguei dedicação total, intensidade e muita energia canalizada e consegui resultados muito rápidos.

É claro que você tem o seu próprio tempo, mas vou ajudá-lo a lidar com a ansiedade para aguardar tanto quanto for necessário para que seus resultados aconteçam e, tanto quanto você se permitir, vou ajudá-lo a acelerar o seu processo de virada.

Porque virar o jogo é muito importante, mas fazer isso rapidamente é ainda mais gratificante. Crescer rapidamente, escalar rápido e tornar-se uma pessoa bem-sucedida com agilidade e retorno o mais imediatamente possível é algo que vai além de todas as nossas expectativas de superação.

Vamos trabalhar sempre apresentando ideias, exemplos e práticas que levem a conhecer o problema e encontrar sua solução, mostrando *cases* que exemplifiquem e estimulem a sua compreensão e sugerindo atividades para que você coloque em ação o que aprendeu e gere os resultados que procura.

Vamos apresentar a maneira como pensam as pessoas que são consideradas fora de série, quais foram os comportamentos, as competências e o *mindset* que elas adotaram que as levaram ao seu *turnaround* rumo ao sucesso. Vocês vão entender quais foram as atitudes que moveram essas pessoas à vitória.

Teremos aqui, então, a solução de que você precisa para ir para o próximo patamar em sua vida. Essa solução será apresentada neste livro com base nos *Três Pilares do Turnaround.*

Pilar 1: *Mindset* expandido

Amplie o seu modo de pensar para fazer o seu turnaround.

Pilar 2: Mudanças comportamentais

Ajuste seus comportamentos para fazer o seu turnaround.

Pilar 3: Acúmulo de competências

Amplie seus conhecimentos para ter as competências adequadas para fazer o seu turnaround.

Vamos juntos provocar mudanças na sua vida, motivando, inspirando, norteando seu caminho, provando que é possível viver melhor e ter mais da vida. Vamos gerar novas perspectivas, fortalecer crenças positivas e estimular o seu poder de realização.

Dessa maneira, vamos gerar os aprimoramentos no seu *mindset,* nos seus comportamentos e nas suas competências – de modo a virar o jogo da sua vida a seu favor, galgar novos patamares e seguir para o ponto mais alto de realização em sua vida.

Vamos trabalhar para superar suas dificuldades e não deixar que seus pontos fracos atrapalhem a sua jornada para o sucesso. Além disso, vamos fortalecer ainda mais os seus pontos fortes, de maneira a potencializar as ações que o levarão aos lugares aonde você quer chegar.

SWOT – o ponto de partida

Se você quer ir a algum lugar, uma das premissas básicas é saber onde você está. Já falamos sobre isso em um capítulo anterior, e você já percebeu em quais pontos precisa dedicar especial atenção. Agora vamos avançar um pouco mais e trabalhar mais a fundo esse seu posicionamento inicial. Depois de definida com precisão a sua posição, em que lugar você se encontra da sua jornada para o sucesso, só então será viável traçar um plano de ação para você chegar aonde quer.

No nosso método de construção do sucesso, vamos trabalhar com diversas estratégias, muitas habilidades e várias qualidades que será necessário aprimorarmos para potencializar nossas chances de crescer e atingir nossas metas. Cada uma delas estará inserida em um dos *Três Pilares do Turnaround,* que já mencionei: *mindset expandido, mudanças comportamentais e acúmulo de competências.*

Para iniciar o nosso trabalho e ajudá-lo a colocar os pés firmes na sua jornada de conquistas, primeiramente precisaremos definir o quanto estamos fortes, ou fracos, em cada uma das competências que temos, em cada um dos três pilares.

Também teremos de analisar quais serão os elementos que encontraremos pelo caminho e se eles facilitarão ou complicarão a nossa jornada.

E quando falamos de fraquezas e forças, de dificuldades e facilidades, existe uma ferramenta ideal para que possamos fazer a análise das nossas condições para enfrentamento da jornada rumo ao sucesso. Ela se chama Análise SWOT – que é a sigla dos termos ingleses *Strengths* (Forças), *Weaknesses* (Fraquezas), *Opportunities* (Oportunidades) e *Threats* (Ameaças).

O seu SWOT pessoal

A técnica de Análise SWOT foi elaborada pelo norte-americano Albert Humphrey e se tornou ferramenta de análise bastante popular no meio empresarial, mas também é bastante aplicável para projetos pessoais e profissionais individuais. A Análise SWOT permite recolher e analisar, de modo bastante simples, dados importantes que caracterizam o ambiente interno (forças e fraquezas) e o ambiente externo (oportunidades e ameaças) do indivíduo ou da empresa.

Entender, conhecer e saber aplicar essa ferramenta é fundamental para o seu sucesso. Por isso, o objetivo deste capítulo é sensibilizá-lo para as mudanças necessárias em sua vida e ajudá-lo a identificar seus pontos fracos e transformá-los em pontos fortes. Quanto mais comportamentos positivos você fortalecer e incorporar ao seu modo de agir, mais ferramentas terá para ajudá-lo a conquistar seus objetivos.

Para utilizar essa ferramenta de modo a reconhecer as suas fraquezas e forças e as oportunidades e dificuldades que você poderá ter pelo seu caminho para o sucesso, preencha a tabela que vem a seguir.

MINDSET EXPANDIDO	
FORÇAS	**FRAQUEZAS**
OPORTUNIDADES	**AMEAÇAS**

Para cada uma de suas competências analisadas (*dentro de cada um dos Três Pilares do Turnaround*), escreva em cada um dos quadros abaixo, respectivamente, suas *Forças e Fraquezas*, além das *Ameaças e Oportunidades* que você poderá encontrar pelo caminho. Procure escrever todos os três itens em cada quadro, para que você tenha uma ideia bem completa de como será a jornada que você vai trilhar.

MUDANÇAS COMPORTAMENTAIS	
FORÇAS	**FRAQUEZAS**
OPORTUNIDADES	**AMEAÇAS**

ACÚMULO DE COMPETÊNCIAS	
FORÇAS	**FRAQUEZAS**
OPORTUNIDADES	**AMEAÇAS**

Essa análise irá ajudar a determinar como você se encontra em relação a cada uma de suas competências (dentro de cada um dos Três Pilares do *Turnaround*). Assim você poderá planejar melhor e adotar algum tipo de ação específica para potencializar o uso dela a seu favor.

Entender seus pontos fortes e fracos e as ameaças e as oportunidades que teremos pela frente é fundamental. Precisamos tomar cuidado com nossos pontos fracos, porque eles podem se tornar sabotadores de nossos planos. Já quanto aos pontos fortes, precisamos conhecê-los para aprender a potencializá-los, colocar mais energia neles, de modo a conseguirmos escalar a vida para o próximo nível.

Então pare agora por alguns momentos e pense um pouco sobre as seguintes questões:

- Quais habilidades você tem que são percebidas imediatamente por alguém?
- Em que você se considera exímio?
- Você reconhece de imediato algo que executa com excelência?
- Você tem hábitos que potencializam seus resultados e que o levarão ao sucesso?
- Quais são os seus pontos fortes?
- Em que pontos você é elogiado?
- Você é visto como um especialista no que faz?
- Você é referência no seu mercado?
- Quais são seus pontos fracos?
- Quais são as suas principais falhas?

- No que você não se considera bom o suficiente?
- Em que você sente que não tem domínio?
- Quais comportamentos de sucesso você não tem?
- Qual atividade você não se sente seguro em executar?

Normalmente, não queremos enxergar nossas falhas, não paramos um minuto de nossa vida para refletir no que somos bons e no que não somos. Dessa maneira, não nos capacitamos para dedicar tempo e buscar conhecimento para melhorar aquilo em que somos deficientes.

Porém, aquela pequena minoria de pessoas que são fora de série e que adotam regularmente esse comportamento de análise constante de suas capacidades é a que mais cresce, transforma vidas e conquista o sucesso.

A proposta do método que apresento neste livro é também ajudá-lo a se transformar em um desses fora de série, desenvolvendo ao máximo suas competências, usando-as em conjunto e de modo harmônico, para conseguir sempre os melhores resultados.

Fazendo uma analogia com os jogadores de futebol, podemos avaliar com mais clareza a importância de fazermos melhor uso, no dia a dia, das nossas várias competências. Os melhores jogadores – como Lionel Messi, Cristiano Ronaldo, Ronaldo Fenômeno e Neymar – têm uma característica interessante: eles são especialistas em uma posição, mas também são bons jogadores em várias outras posições. Além disso, normalmente são excelentes chutadores com uma das pernas, mas também usam muito bem a outra quando necessário.

E é isto que digo que a gente tem que fazer na vida profissional. Temos que ser exímios profissionais, verdadeiros especialistas em uma posição – vendedor, marqueteiro, financeiro, administrador, empreendedor, planejador, estrategista, independentemente de sua área de atuação –, mas também precisamos saber jogar bem nas outras posições, precisamos aprender a jogar onde for preciso. É preciso ser forte ao extremo em uma posição e potencializar cada vez mais isso, mas também é preciso se fortalecer naqueles pontos em que ainda não somos tão bons.

Esse é o conceito de que falo, que é preciso ter uma visão de 360 graus. É preciso passar por todos os ambientes dentro da empresa, do seu negócio. Principalmente se você é um empreendedor, você precisa aprender a chutar bem com a perna esquerda e com a direita. Tem que ser bom o suficiente para, quando a bola cair por perto, você pegar, correr e fazer um passe excelente, ou mesmo chutar forte e certeiro para o gol.

Se você é um bom vendedor, se aparecer a oportunidade, é lógico que você vai vender bem. Mas você também precisa ser um bom comunicador, ter uma boa forma de se relacionar, saber dar um *feedback* para as pessoas com quem trabalha, saber planejar uma campanha de vendas, e por aí vai...

O principal objetivo do método que estou propondo aqui é exatamente para você adquirir essa visão de 360 graus e trabalhar em cada uma de suas competências, potencializando seus pontos fortes e fortalecendo os seus pontos fracos. É assim que você irá se tornar cada vez mais um excelente profissional e um excelente empreendedor.

O poder da ferramenta SWOT

Foi aos 26 anos, no Japão, que conheci a ferramenta SWOT e todo o seu poder de transformação – tanto na vida pessoal de um profissional quanto nos resultados das empresas.

Naquela época, parei para pensar sobre tudo o que eu já havia vivido e me questionei por que nada dava certo, por que eu estava falhando, por que meus negócios não se consolidavam, não decolavam. Essas e muitas outras perguntas eu fiz a mim mesmo, porque precisava muito identificar o que estava fazendo de errado e como corrigir o meu rumo.

Depois de ter falhado em quatro negócios, a sorveteria, a lanchonete, a danceteria e a revista, eu tinha voltado a trabalhar de empregado em uma montadora de carros. Eu sabia que isso seria passageiro e não via a hora de voltar a empreender. Mas estava sem dinheiro e sabia que, quando voltasse a empreender, não poderia mais cometer os erros que me fizeram fracassar nos negócios anteriores.

No meu terceiro mês de trabalho, conheci um peruano em um evento, uma feira de negócios, e nos tornamos grandes amigos. Manuel Uehara foi um grande incentivador em uma nova fase de minha vida. Ele trabalhava em uma rede de supermercados e restaurante que vendiam produtos brasileiros e hispânicos para os estrangeiros que residiam no Japão.

Certo dia, Manuel me ligou dizendo que a empresa em que trabalhava estava contratando vendedores. O trabalho era vender os serviços de uma pequena gráfica do grupo. Como eu sabia que em vendas eu era bom, e também porque eu queria de alguma forma sair daquele emprego monótono, fiz uma entrevista na empresa e fui contratado.

Meu trabalho consistia em atender empresas brasileiras situadas no Japão, mas também tinha que atender a rede de supermercados e o restaurante do grupo.

No terceiro mês de trabalho, tive uma abertura e apresentei um projeto para Copa do Mundo – a Copa de 2002. O projeto foi aceito, mas não me deram a liderança, por questões de administração interna do grupo e também porque eu era novo na empresa.

O projeto era simples: a cada certo valor em compras, o cliente ganhava um cupom; a cada certo número de cupons, o cliente trocava por uma camisa da Seleção Brasileira.

Embora a campanha fosse simples, tinha alto índice de eficiência, primeiro porque a Copa era sediada no Japão e na Coreia do Sul. Depois, havia um apelo ainda maior para os brasileiros residentes fora do Brasil: trazer seu país para mais perto, mesmo que simbolicamente. A campanha foi um sucesso, e, embora eu não a tenha liderado, ganhei bastante destaque na empresa.

Logo percebi que o grupo empresarial, composto pela rede de supermercados e o restaurante, não tinha um departamento de marketing. Então pensei em pedir para me transferirem e deixarem a criação e a gestão desse departamento sob minha responsabilidade. Mas havia um problema: eu não era formado em marketing, nem mesmo sabia direito o que era marketing e o que eu deveria fazer – depois de algum tempo, descobri que eu já fazia marketing nas empresas que tive, claro que nada profissional, mas fazia de modo intuitivo e com muito bons resultados.

Meu primeiro desafio era convencer meus empregadores a me transferirem para um departamento que ainda deveria ser criado. O segundo era estudar e aprender, em tempo recorde, o que era marketing, publicidade, propaganda e todos esses aspectos desse novo departamento.

Sentei e conversei com o vice-presidente do grupo, usei minha habilidade de vendas e persuasão e finalmente saí de lá com um sim dele: eu teria a responsabilidade de criar um departamento de marketing na empresa e de fazê-lo funcionar.

Segundo desafio: comecei a estudar marketing. Passava madrugadas na internet, comprava livros, pesquisava. Eu nunca havia entrado tão fundo em um tema. Aprendia e praticava, estudava e colocava em prática, dia após dia, com muita dedicação, foco e uma paixão por fazer acontecer. Afinal, a ideia era minha, e eu havia assumido mais uma vez o compromisso de fazer acontecer, eu havia batido no peito e chamado para mim toda a responsabilidade.

Foi em uma dessas pesquisas que me deparei com a Análise SWOT. Passei a aplicá-la em meus projetos e consegui resultados excepcionais – posteriormente passei a aplicar a Análise SWOT também em minha vida pessoal, com resultados surpreendentes. Em seis meses, já liderava uma equipe, já era o diretor de Marketing, com um bom salário e entregando cada vez mais resultados.

Fiquei dois anos e meio na empresa. Quando entrei, eram sete supermercados e um restaurante. Quando saí da empresa, deixei-a com treze supermercados e sete restaurantes. E foi ali que fortaleci a crença no meu potencial. Entendi que, se eu havia feito dar certo para outra empresa, poderia fazer o mesmo por mim, por minha empresa. Afinal, eu já estava muito mais qualificado, com novas habilidades, com novos conhecimentos. Os cursos feitos, os livros lidos, as inúmeras pesquisas e os infindáveis estudos estavam fazendo sentido. Eu colhia mais e melhores frutos, dia após dia.

Sempre que falo dessa minha trajetória, lembro-me de uma parábola que sempre me manteve atento a tudo o que me cerca, buscando enxergar oportunidades:

> "Dizem que uma empresa de sapatos, em fase de expansão, selecionou dois vendedores e os enviou a uma região da Índia,

para fazer uma pesquisa de mercado. O objetivo era identificar se haveria oportunidades de negócios por lá, se o mercado naquela região era promissor.

Chegando lá, após algumas semanas, o primeiro vendedor enviou um e-mail ao seu diretor informando para desistirem da ideia de abrir mercado por lá, porque naquela região quase ninguém usava sapatos.

Já o segundo vendedor enviou um e-mail ao diretor dizendo que podiam se preparar, contratar mais mão de obra e aumentar a produção, porque naquela região muita gente ainda não usava sapatos."

Essa parábola sempre me lembra que algumas pessoas enxergam dificuldades na mesma situação em que outras enxergam oportunidades. E oportunidade foi o que enxerguei nesse caso: uma empresa com mais de doze anos de mercado, mais de sete supermercados, e ainda não tinha um departamento de marketing. Aproveitei essa brecha e sugeri; aceitaram; criei o departamento; cresci e ainda testei minha capacidade de fazer acontecer resultados em um campo que eu não dominava. Uma experiência que, até os dias de hoje, utilizo na criação e gestão das campanhas dentro de minhas empresas.

Para completar este ponto, quero reforçar que a Análise SWOT deve ser feita de forma simples e objetiva, com você fazendo a si mesmo aquelas perguntas que já mencionei, de maneira direta, e as respondendo com sinceridade. É essa dedicação de avaliar as condições em que você se encontra e a sua disposição de fazer as mudanças necessárias que irão levá-lo a fazer o seu *turnaround* e pegar firme no caminho para o sucesso.

Aprofundando o autoconhecimento

Muitas pessoas se definem como detalhistas demais, ou perfeccionistas, acreditando que isso seja uma de suas mais importantes qualidades. Entretanto, quem convive com elas pode estar insatisfeito com essa característica.

Outros se consideram sinceros demais, por acreditarem que falar sempre a verdade seja uma característica positiva, mas o que as outras pessoas pensam mesmo é que eles são extremamente críticos e muitas vezes até mesmo chatos e inconvenientes.

É isso que acontece nos relacionamentos. Muitas vezes você acredita que é de determinado jeito, mas as pessoas com quem convive podem estar percebendo você de uma maneira completamente diferente.

Para resolver essas incongruências e melhorar seus relacionamentos, é preciso, antes de tudo, que você tenha um autoconhecimento profundo e realista e perceba como esse seu modo de ser afeta as pessoas à sua volta. Afinal, ninguém vive sozinho no mundo, e cuidar dos nossos relacionamentos interpessoais é fundamental para tudo, inclusive e principalmente para o nosso sucesso.

Perceba que, como consequência de nos enganarmos em nossa autoavaliação, podemos sem dúvida afirmar que nossos relacionamentos interpessoais ficam prejudicados, gerando fatores e condições que dificultam seu progresso, sua evolução e, é claro, o seu *turnaround*. Por isso, é muito importante trabalharmos bem o autoconhecimento e aprimorar nossa capacidade de nos relacionar com as pessoas.

Detalhando mais esse assunto, vamos falar de uma ferramenta importantíssima para o autoconhecimento e o aprimoramento dos relacionamentos interpessoais. Estamos falando da *Janela de Johari* – um modelo criado por dois psicólogos americanos, Joseph Luft e Harrington Ingham –, que mostra a interação entre a maneira como percebemos a nós mesmos e a forma como os outros nos veem.

A *Janela de Johari* é uma representação das dinâmicas das relações interpessoais e dos processos de aprendizagem em grupo, baseados no autoconhecimento. O objetivo é permitir uma visualização clara e organizada das relações, de modo a auxiliar o entendimento de uma comunicação interpessoal e ajudar os nossos relacionamentos com um grupo de pessoas.

A *Janela de Johari* é representada graficamente pelo diagrama da ilustração a seguir, dividido em quatro quadrantes:

	Conhecido pelo eu	Não conhecido pelo eu
Conhecido pelos outros	I "EU ABERTO"	II "EU CEGO"
Não conhecido pelos outros	III "EU SECRETO"	IV "EU DESCONHECIDO"

Vamos ver com detalhes como o modelo funciona e de que maneira podemos usá-lo para aprimorar o autoconhecimento e melhorar nossos relacionamentos pessoais e profissionais, de modo a promover o nosso *turnaround* e alavancar o nosso sucesso.

Eu aberto

É a área que se caracteriza pela livre troca de informações entre o *"eu"* e *"os outros"*. Em resumo, mostra o que em você é conhecido por você mesmo e pelos outros – nesse setor, você é um livro aberto, consciente do que tem para oferecer.

Eu secreto

Nesse segundo quadrante, estão incluídas as informações e as características pessoais que somente você conhece sobre si mesmo. E só você mesmo é quem pode decidir o que irá revelar ou não aos outros.

Eu cego

Essa é a área de nossa vida que desconhecemos, de que não temos ideia que temos. Ela representa comportamentos e posturas que não percebemos em nós mesmos, mas que os outros percebem. É uma parte nossa que mostramos inconscientemente ao mundo.

Eu desconhecido

O *Eu desconhecido* compreende o campo de nosso inconsciente, daquilo que desconhecemos sobre nós mesmos, mas que também os outros desconhecem sobre nós. Nessa área desconhecida, estão presentes nossas memórias da infância, as potencialidades latentes e os aspectos escondidos da nossa dinâmica interpessoal.

A busca pelo equilíbrio

A *Janela de Johari* é dinâmica, e a pessoa pode potencializar ou reduzir sua presença em cada um dos quadrantes. E a movimentação por entre eles depende principalmente dos *feedbacks* trocados entre a pessoa em questão e os outros indivíduos com quem ela se relaciona.

Os comportamentos de autoexposição, de buscar e dar *feedbacks*, são indispensáveis para a autoanálise usando-se a *Janela de Johari*. Por meio desse processo, é possível ampliar o autoconhecimento, além de melhorar nossos relacionamentos interpessoais. A janela nos ajuda a compreender melhor os outros e principalmente a nós mesmos.

Sua análise pessoal

Antes de fazer sua análise pessoal usando a *Janela de Johari*, esteja certo de que compreendeu bem quais são as características mais marcantes de cada um dos quadrantes. E lembre-se sempre de que o modelo de representação gráfica da *Janela de Johari* lhe possibilita verificar ao mesmo tempo as informações de duas fontes fundamentais: *"o seu eu e o dos outros"*.

A partir daí, ao fazer sua própria leitura comportamental, observe quais quadrantes se mostram com mais destaque na sua janela. Dessa maneira, você irá perceber melhor qual é a forma como se comunica com as pessoas e a maneira como se comporta no dia a dia de seus relacionamentos. Esse processo irá indicar-lhe caminhos para o seu desenvolvimento, permitindo que aperfeiçoe suas relações de modo a potencializar o seu *turnaround*.

Vale aqui salientar que o quadrante que produz mais relacionamentos saudáveis e produtivos é o do *"Eu aberto"*. Na sua reflexão para melhorar suas chances de fazer uma virada bem-sucedida em sua vida, observe com atenção o que você pode fazer para ampliar cada vez mais essa parte da janela.

Algumas atitudes para melhorar o autoconhecimento

Agora que você tem as ferramentas para promover o autoconhecimento, quero colocar, de maneira bem objetiva e prática, os procedimentos que recomendo para usá-las com mais eficácia:

1. Reveja os resultados da sua Análise SWOT. Se você ainda não a fez, faça-a agora. Faça um levantamento de todas as características positivas e negativas que você tem;
2. Seja transparente, torne público o maior número possível de características suas no seu ambiente de trabalho e na sua vida pessoal, tomando apenas o cuidado de não prejudicar sua imagem, expondo informações desnecessárias e inadequadas ao contexto;
3. Mantenha um grupo restrito de pessoas no seu trabalho e na sua vida pessoal em que você possa confiar para compartilhar um número maior de informações, para possibilitar maior abertura pessoal e assim ter *feedbacks* mais profundos e dar *feedbacks* mais precisos;
4. Procure dar abertura às pessoas para falar sobre você, peça *feedbacks*, procure deixar as pessoas à vontade e com liberdade para falar sobre o que pensam a seu respeito. Assim, diminuirá a sua área cega, você saberá mais o que os outros acham de seu modo de ser e poderá se beneficiar dessas informações, corrigindo eventuais erros;

5. Crie relações de amizade e proponha uma dinâmica em que seus amigos solicitem aos outros *feedbacks* sobre você. Muitas vezes as pessoas ficam inibidas de falar diretamente a você, mas falam aos outros;

6. Ao perguntar mais às pessoas sobre si mesmo, preste bastante atenção nas respostas e não se mostre reativo, nem mesmo com expressões faciais e corporais duras. Sim, porque muitas vezes você pode até falar que *"tudo bem"*, mas seu rosto e seu corpo poderão estar dizendo algo diferente. Quando solicitar *feedbacks*, esteja realmente aberto a eles, mesmo que sejam negativos;

7. Não fuja de *feedbacks* negativos. Ao contrário, busque-os. Isso vai orientá-lo para que melhore mais a cada dia. Muita gente quer ouvir apenas elogios e *feedbacks* positivos, mas isso é de pouca serventia. Particularmente, já deixo claro que quero ouvir em que posso melhorar, e estimulo com frequência as pessoas a me mostrarem onde estou falhando;

8. Depois de recebidos os *feedbacks* e identificados quais comportamentos ou características você precisa melhorar e desenvolver, busque os conhecimentos necessários para promover as mudanças que precisar fazer. Leia mais sobre o assunto, faça cursos, pesquise, pratique o que for necessário e busque melhorar o mais rapidamente que você puder;

9. Tenha sempre em mente que, para construir uma imagem positiva, tanto pessoal como profissionalmente, é necessário que possamos perceber a diferença existente entre a imagem que as pessoas têm de nós e a nossa própria percepção pessoal.

Muitos *turnarounds*

Fiz vários *turnarounds* em minha vida, que se somaram, gerando a grande transformação, a grande virada que eu buscava. Mas não parei por aí, porque a vida é um eterno evoluir, e sei que sempre tenho muito a aprender e a conquistar. Ainda serão muitos os *turnarounds* que darei em minha vida. E convido você a fazer o mesmo.

Eu estudo, leio muito, escuto muitos audiolivros, participo de muitos eventos para adquirir conteúdo e conhecimento e para me conectar com outras pessoas – conteúdo e conexão –, busco o aperfeiçoamento contínuo, hoje melhor do que ontem, amanhã melhor do que hoje. Faço muitos cursos e estou me aperfeiçoando em oratória, em falar para as câmeras, em linguagem corporal e tudo o mais que é necessário para o meu sucesso. Sigo exatamente esses princípios que estou ensinando para você; sigo sempre por essa jornada para me tornar melhor a cada dia.

Aplico em minha vida todos esses princípios que estou compartilhando com você. Afinal, eu não poderia propagar com eficiência algo que eu não praticasse. Faço questão de manter esse método incorporado em mim; por isso, sigo sempre crescendo e expandindo meu *mindset* e, tenho certeza, me torno melhor a cada dia, a cada ano. E é o que quero passar para você.

Então vamos juntos provocar mudanças na sua vida, motivando, inspirando, norteando seu caminho, provando que é possível viver melhor e ter mais da vida. Vamos gerar novas perspectivas, fortalecer crenças positivas e estimular o seu poder de realização.

Dessa maneira, vamos gerar os aprimoramentos no seu *mindset,* nos seus comportamentos e nas suas competências, de modo a virar o jogo da sua vida a seu favor, dar a volta por cima, galgar novos patamares e seguir rumo ao sucesso.

Vamos trabalhar para superar suas dificuldades e não deixar que seus pontos fracos atrapalhem a sua jornada. Mais ainda, vamos fortalecer os seus pontos fortes, de maneira a potencializar as ações que o levarão aos lugares aonde você quer chegar.

A hora é agora. Não dá para deixar para depois. Este é o seu momento da virada. Aproveite bem!

Os Três Pilares do **TURNAROUND**

É muito importante você ter em mente, desde já, que o método que vou apresentar aqui funciona muito melhor como um todo quando você o aplica por inteiro na sua vida. Aplicar algumas partes dele vai, sim, dar bons resultados, mas você só vai potencializar o seu ganho quando aplicar, ponto a ponto, todas as orientações que vou sugerir.

Portanto, a forma de você usar este material deverá ser bastante diferente de alguns outros métodos que já conheceu em treinamentos, palestras e em outros livros. Muitos livros pregam ideias como *"mude a sua mente e você vai conquistar o mundo, o poder do agora, o megapoder do planejamento, automotivação"* e tantas outras mais. Colocam as coisas de uma forma que dá a entender que apenas uma ação específica vai mudar a sua vida.

Não posso dizer que haja algo de errado em simplificar as coisas, nem tenho nada contra o que as pessoas dizem e vendem. Mas não acredito que determinado comportamento, uma atitude em específico, um item apenas que você mudar vai transformar a sua vida. Não é assim que as coisas funcionam.

Quando você muda apenas uma coisa na sua vida, pode contribuir um pouco mais para melhorar as suas condições, e isso é bom. Mas nada nesta vida funciona plenamente de maneira isolada.

Por exemplo, uma pessoa que resolve melhorar só o planejamento em seu negócio. Ela não vai ser tão bem-sucedida se melhorar somente essa competência. Porque ela também vai precisar vender o seu produto, acompanhar os resultados, avaliar e administrar a logística. E vai ser preciso também estar motivada com o planejamento estabelecido e sua implantação. Ou seja, ela vai precisar ter outras competências agindo, para que o sucesso se apresente.

É claro que, de repente, o que vai ser mais efetivo para ela talvez seja o planejamento – assim como para outra pessoa poderia ser o foco, a motivação, a energia, a atração. Mas o sucesso exige um conjunto de fatores que costuma estar atrelado aos componentes contidos nestes três pilares:

Mudança de *mindset*

Mudar a mentalidade; quanto mais expandida, melhor.

Desenvolvimento de competências

Quanto mais acúmulo de competências, melhor.

Aprimorar comportamentos

Quanto mais você tem um comportamento do bem, um comportamento positivo e proativo, mais você tem resultados, e bem mais rápido.

Por isso, minha recomendação é para que você não se limite a trabalhar em apenas algumas destas competências que vou apresentar. Não trabalhe isoladamente em apenas um dos três pilares. Passe por todos; ao mesmo tempo, dedique mais tempo a uma competência ou outra que você sentir ser necessário, mas não deixe nada de fora do seu foco e do seu propósito de melhoria.

Sem dúvida que você vai se identificar melhor com um pilar ou outro, com uma competência ou outra, de acordo com o seu próprio jeito de ser. De repente, você vai se encaixar melhor no trabalho duro, ou na busca da milha extra, ou no princípio do "faça o que tem que ser feito". Isso é normal. Apenas não se descuide das demais competências.

À medida que você for entendendo o que mais se adapta ao seu negócio, você vai adquirindo aquela visão de 360 graus de que tanto falo e que é tão importante para o seu sucesso.

Lembre-se de que, para ter essa visão 360 graus, você terá que dar várias voltas completas em torno de si mesmo e do seu negócio e entender todos os seus pontos fracos e também os seus pontos positivos. Essa é a maneira de buscar o sucesso de modo completo.

Então, vamos trabalhar em cima destes três pilares: *mindset expandido, mudanças comportamentais e acúmulo de competências,* avaliando e aplicando meios de melhorar nossos resultados em cada um deles. Vou também mostrar como agi em cima desses três pilares para mudar a minha vida. E deixar claro que, assim como consegui esses resultados, você também pode conseguir.

Você vai entender e comprovar tudo de bom que pode mudar na sua vida a partir do momento em que você expandir seu *mindset,* adotar novos comportamentos e buscar desenvolver novas competências.

Mudando seus comportamentos, você vai gerar diferenças significativas em seus resultados. Acumulando novas competências, terá maior facilidade de evoluir e ampliar suas conquistas. Expandindo seu *mindset,* você vai aprender a enxergar coisas que outros não veem e terá mais *feeling* para identificar o que é realmente importante. E será capaz de ressignificar acontecimentos em sua vida, de modo a torná-los uma força trabalhando a seu favor, em vez de pesos a serem carregados.

Costumo dizer que fracassei inúmeras vezes, mas sempre consegui, de maneira rápida e honesta, virar o jogo e dar guinadas extraordinárias.

Por isso, tenho certeza de que você também pode dar uma virada incrível em sua vida.

Quero apresentar para você, a partir de agora, os meus princípios de ouro. Chamo-os assim porque eles ajudaram a transformar a minha vida. Fizeram de mim a pessoa que sou hoje, ajudaram a conquistar os meus resultados e a construir um sucesso muito além do que a maioria das pessoas consideraria possível.

Quero compartilhá-los porque acredito muito que eles farão por você tanto, ou até mais, quanto fizeram por mim. Aproveite-os com compromisso, seriedade e uma vontade legítima de provocar uma grande virada positiva em sua vida – incentivá-lo é o meu propósito de vida, é a minha missão, que começo a viabilizar aqui com este livro.

PILAR 1

Mindset expandido – amplie seu modo de pensar

É o seu *mindset* que leva você ao sucesso ou ao fracasso, se for um *mindset* negativo. *Mindset* é a sua mentalidade, a maneira como você pensa, as crenças que você tem sobre tudo o que lhe acontece.

Esse é o ponto inicial. Para promover qualquer mudança em sua vida, a pessoa precisa antes mudar sua mentalidade. Não dá para querer resultados diferentes se você continuar pensando da maneira como sempre pensou. Não dá para ser um vencedor se a pessoa insistir em continuar a pensar em fracasso. Não dá para ser vitorioso se o indivíduo pensar somente em derrota.

Por isso, para ir para o próximo patamar de sucesso em sua vida, o primeiro passo é ajustar o seu *mindset* na direção do crescimento que você busca.

Mas como é possível mudar sua mentalidade de maneira que ela o leve mais acima? Primeiro, a pessoa tem que identificar com clareza a mentalidade que ela tem. Depois precisa passar a agir com o propósito firme de elevar sua mentalidade para alcançar melhores coisas na vida.

Vamos ver um exemplo: imagine uma pessoa que pensa pequeno em tudo o que faz. Ela quer ter um carrinho pequeno e barato, um salário que apenas dê para pagar as contas, tem uma vida tímida, só com o necessário para sobreviver... Então, tudo o que ela acredita que merece é muito pouco. E se a pessoa acha que merece pouco da vida, a vida vai dar pouco para ela.

Então é preciso mudar esse *mindset*. A expectativa dessa pessoa precisa mudar. Ela precisa cultivar crenças que a elevem de patamar. Ela precisa aprender a pensar grande.

Analise esta situação: a pessoa diz sempre *"Ah, tá bom assim"*. Mas por que ela se contenta apenas com o bom? Por que ela não procura o ótimo? Por que não vai em busca do extraordinário? É que, na verdade, ela tem um *mindset* limitante, que diz que ela não é digna de ter o melhor, que ela não merece.

Para sair dessa cilada em que a mente dela está presa, é preciso mudar a forma de pensar, mudar as crenças. É preciso mudar o *mindset*. É preciso assumir a responsabilidade e o compromisso de fazer essa mudança de mentalidade e passar a pensar grande.

Então o primeiro ponto a ser trabalhado é a mudança de *mindset*. Quando você muda sua mentalidade, todo o restante das mudanças virá a partir daí.

Para mudar seu *Mindset* de modo a abrir seu caminho para o topo, para patamares mais altos na sua vida, vai ser necessário trabalhar nos seguintes pontos que veremos a seguir.

Princípio de eliminar as vibrações e energias negativas

Quando digo eliminar as vibrações e as energias negativas, quero dizer se desfazer de todos os elementos que o tirem do seu propósito, tudo o que possa haver em torno do seu dia a dia e que o faça perder o foco em seu objetivo, seja ele profissional, seja pessoal. Eliminar totalmente a mentalidade e os comportamentos que o levem a sentir pena de si, e também manter longe as pessoas negativas, pessimistas e que só reclamam, que sugam a sua energia, ou seja, tirar do seu caminho todo pensamento e atitudes negativas, pois são sabotadores.

É preciso focar no positivo, na esperança, na crença de que seu sonho é possível. Em geral, é muito comum as pessoas olharem para um copo cheio de água até a metade e só verem um copo "meio vazio", em vez de enxergarem um copo "meio cheio". E assim elas seguem pela vida: enxergam a metade vazia do copo, só veem os obstáculos, em vez de verem os resultados buscados; prestam mais atenção na pedra no caminho, em vez de perceberem que mais adiante o caminho continua.

Em vez de falar *"Ah, mas eu vou ter de trabalhar dez, doze horas por dia, trabalhar sábado e domingo,* não ter *feriado..."*, experimente dizer *"Todo este meu esforço vai render muitas vezes mais no futuro"*.

Quando você pensar em reclamar *"Ah, mas este negócio está me exigindo mais isso, mais aquilo, está dando muito trabalho..."*, lembre-se de que você está fazendo investimentos no seu futuro.

Quando a pessoa foca o olhar naquilo que é negativo, gera uma vibração que a impede de crescer. Portanto, é preciso procurar coisas boas para se inspirar.

As pessoas pegaram o hábito de ficar em um *"mimimi"* sem fim. Sempre estão dizendo que algo é muito desafiador, é difícil, é impossível. É muita desculpa que não ajuda quem pretende melhorar de vida: "Não consigo ter *sucesso porque nasci em uma cidade pequena, vim de uma família pobre, não estudei, não tive sorte na minha vida"*.

E, na sequência, vem a velha lamentação: *"Meu vizinho é que é um cara de sorte. Veja como ele se deu bem... Ele conseguiu isto, encontrou aquilo, fez aquilo outro..."*.

"A grama do vizinho é sempre mais verde", diz o ditado popular. Mas ninguém parou para dizer que a grama do vizinho é mais verde porque

ele cuida da grama dele. Ele faz o trabalho necessário para que ela fique mais verde. Ele não fica só reclamando e olhando a grama do vizinho dele.

As pessoas que sempre ficam de *"mimimi"* não percebem que isso não leva a nada. Não adianta justificar o seu fracasso, para não ter que se mexer e continuar acomodado. Não resolve a sua vida se você só se preocupar em justificar o estado em que está, tentar explicar por que não consegue sair do lugar nem ter sucesso.

Todo esse *"mimimi"* é o que eu chamo de terceirização da responsabilidade. É colocar a culpa nos outros pelos seus resultados. É culpar o governo, a política, dizer que o que vale é a *"lei de Gerson"*, segundo a qual todos querem levar vantagem em tudo.

Assuma que, seja lá o que for que estiver acontecendo em sua vida, foi você quem escolheu que fosse assim. É sua responsabilidade que a sua vida esteja do jeito que está hoje. E só você pode mudar isso.

Quer eliminar a vibração negativa da sua vida? Então preste atenção em familiares, amigos, pessoas conhecidas ou desconhecidas que se aproximam de você apenas para fazer fofoca e criticar outras pessoas. Elas só veem o lado ruim de toda situação, sempre estão com foco no lado negativo de tudo. Então você tem que evitar essas pessoas.

Fique alerta. Existem grupos de amigos seus falando mal de outras pessoas, criticando tudo e todos, só negativando. Na sua família, você vai a uma reunião, um churrasco de fim de semana, ou festas, e estão lá os seus familiares falando mal de um parente, da vida, do governo. Parece até que fazer papel de vítima hoje se tornou a coisa mais natural e mais bonita do mundo.

Então coloque uma regra em sua vida: não ficar próximo de pessoas negativas. Afaste-se delas, sejam quem forem. Quando perceber que o grupo está envolvido em negatividades, retire-se. Porque, se ficar ali, você vai absorver aquelas coisas negativas, e isso vai fazer muito mal para a sua vida e para o seu sucesso. Pessoas negativas são sugadoras de energia e irão levar você para uma vibração ruim, tirarão suas energias.

Outro ponto muito importante para quem quer afastar a negatividade é parar de assistir televisão. Isso não é só uma questão de ficar perdendo tempo com coisas fúteis. Acontece que, na maioria das vezes, o material veiculado pela tevê aberta vem carregado de muita negatividade. Assim, você não só vai estar perdendo tempo, como também estará absorvendo energia negativa, que vai sugar suas forças e minar a sua determinação de vencer.

É claro que ainda tem coisa boa que você pode ver, como algum filme ou seriado sobre o seu tema de interesse, que vai ensinar alguma coisa, vai ajudá-lo a negociar melhor, a ter mais resiliência, ter mais persistência. Então isso é bacana. E é esse tipo de programa que você precisa buscar.

Se você quiser assistir a vídeos de um material que seja agregador, isso é excelente. Mas é pouco provável que você vá encontrar esse material na tevê aberta. Você vai precisar assinar um canal mais específico, mais bem qualificado, e vai precisar selecionar e filtrar aquilo que quer receber, ou pesquisar informações por outros meios, como os buscadores na internet, YouTube, portais de conteúdo e outros desse tipo. O controle tem que ser seu, e você tem que definir isso – e não ficar na frente da tevê e receber aquilo que eles querem que você veja, que eles querem colocar na sua mente.

Imagine que tem gente que faz isso todo dia! Assiste a péssimos programas dia após dia. Informação ruim, negativa, pesada, do tipo *"o Brasil está um lixo, pegaram mais um político roubando, o país não tem perspectiva de mudar, mataram alguém, roubaram outro lá"*. Só coisa negativa.

Se você ficar recebendo tudo isso, todos os dias, imagine o efeito que vai ter em sua mente. É um sugador de energia poderoso. Então se afaste disso tudo.

Princípio da meritocracia

O ponto mais importante quando falamos em meritocracia neste livro é entender que *"você está onde está porque você mesmo construiu seu caminho até aí"*. Você desejou estar nesse exato lugar e agiu de modo a chegar a essa condição.

A meritocracia fala das conquistas e também das derrotas de um indivíduo como consequências dos méritos pessoais desse indivíduo, ou de seus defeitos e falhas, no caso das derrotas. Em outras palavras, a meritocracia define a sua situação atual pelo fato de estar sempre de acordo com a sua performance pessoal.

O significado literal de meritocracia pode ser entendido como "o poder do mérito". Ou seja, o seu crescimento profissional e social é consequência dos seus méritos, dos seus esforços e de sua dedicação à realização dos seus sonhos.

No meio empresarial, a meritocracia é hoje tema inserido na cultura de muitas empresas. Segundo essa maneira de ver o progresso dos colaboradores dentro da empresa, a meritocracia prega a ideia de que qualquer colaborador ou funcionário pode chegar aonde ele quiser na empresa, inclusive ser um dos donos, se ele fizer o suficiente para merecer isso.

Existe uma pequena história, já bastante conhecida, mas que gosto muito de usar para ilustrar a meritocracia.

"Pedro era funcionário de uma empresa, onde trabalhava por mais de vinte anos, e decidiu pedir aumento ao patrão. Ele havia comparado seu salário com o do José, que ganhava mais do que ele, mas trabalhava na empresa havia apenas quatro anos.

No escritório do patrão, Pedro disse que precisava pedir aumento porque já trabalhava ali havia mais de vinte anos e não achava justo estar ganhando menos do que José. O patrão, calmamente, disse:

– Pedro, antes de continuarmos esta nossa conversa, eu quero lhe pedir um favor: decidi dar frutas de sobremesa para todos os nossos funcionários e gostaria que você fosse à quitanda, a duas quadras daqui, e verificasse se tem abacaxi.

Pedro, sem entender muito bem o porquê, acatou aquele pedido do patrão e foi até a quitanda. Quando retornou, disse:

– Patrão, tem, sim, abacaxi na quitanda.

– Você verificou se ele tem para pronta entrega? – o patrão perguntou.

– Isso eu não verifiquei, não.

– Você verificou se tem abacaxi disponível para todo mundo da empresa?

– Não verifiquei, não!

– Você perguntou se ele faz algum desconto por comprarmos em grande quantidade?

– Também não perguntei isso, porque o senhor não pediu – respondeu Pedro.

Então, o patrão pegou o telefone e chamou o José.

José entrou na sala, e o patrão fez a ele exatamente o mesmo pedido que tinha feito a Pedro. Assim que o patrão terminou, José saiu e, depois de pouco tempo, retornou ao escritório. Dirigindo-se ao patrão, disse:

– Patrão, eu verifiquei e tem abacaxi, sim. Mas também verifiquei que tem outras frutas, caso o senhor queira mais opções. Todas elas estão com um preço muito bom. Ele tem as frutas para pronta entrega e manda entregar aqui na empresa, é só ligar e fazer o pedido. E também, por se tratar de um volume grande de frutas, eu negociei e consegui um bom desconto no preço. E se a gente quiser fazer um contrato de fornecimento para o ano todo, o quitandeiro consegue dar um desconto ainda maior. Se o senhor quiser, é só me autorizar que eu faço o pedido.

O patrão agradeceu a José e pediu para que ele aguardasse alguns instantes. Depois, olhou para Pedro e perguntou:

– Qual era mesmo o pedido que você queria me fazer quando entrou aqui?

Pedro, sem graça, se desculpou com o patrão, disse que não era nada importante e voltou ao trabalho."

O interessante aqui é pegar o conceito embutido nessa metáfora. Meritocracia é isso. A pessoa está onde está porque ela conquistou isso. Mas muitas pessoas querem ganhar aumento na empresa somente pelo tempo que trabalham lá ou pelo diploma que têm, ou porque se acham merecedoras. Mas não fazem nada para, de fato, merecer qualquer promoção.

Certa vez assisti a uma palestra do Dr. Lair Ribeiro em que ele falava que, se um funcionário trabalhar como se fosse o dono da empresa, não ficará por muito tempo no cargo em que está. Ele, com toda certeza, fará carreira muito mais rápido, podendo até mesmo se transformar em sócio da empresa.

Se você é bem-sucedido, famoso, rico, milionário, foi você mesmo quem o levou até esse ponto. É mérito seu. Você tem que ser grato a si mesmo. Tem que bater no peito e dizer: *"Fui eu que conquistei tudo o que consegui até aqui"*. Claro que teve um conjunto de outros fatores que o auxiliaram na sua jornada, como a colaboração de outras pessoas, o envolvimento de colaboradores e tantos outros aspectos que favoreceram a sua vitória, mas você foi o líder do seu destino, foi quem liderou essa sua jornada. Você merece estar onde está, ter o sucesso que tem.

É claro que não podemos esquecer também o outro lado, em que a meritocracia também é válida: se a pessoa está em uma situação ruim, também nesse caso ela só está ali porque criou esse cenário. Ela mesma levou-se para aquele lugar. Entrevistando o empresário, escritor e palestrante Geraldo Rufino, ele disse que *"As pessoas reclamam demais, porque se estão no buraco, quem foi que cavou o buraco? Foram elas mesmas. Foram elas que cavaram o próprio buraco"*.

Quanto mais cedo entender que só está em determinada situação porque você mesmo se levou até ali, fica muito mais simples dar um novo significado ao fato de ter fracassado. Quando você entende que não foi outra pessoa, não foi o governo, não foi a sua cidade, não foi o momento inadequado que o conduziu até ali, e chama a responsabilidade para si mesmo, você ganha o poder de mudar a situação a seu favor.

Então a lição mais importante a guardar agora é a de que o merecimento de estar no buraco ou de estar no topo, de estar fracassado ou de ser bem-sucedido, é todo seu. É você quem tem o controle do seu próprio destino.

Princípio do controle dos seus resultados

Você tem o controle das suas escolhas e decisões. Ter controle dos seus resultados significa, em última análise, assumir a responsabilidade por tudo o que você colhe a partir de suas ações. Porque só assim você ganha o poder de mudar algo que não vai bem.

As pessoas têm o costume de "terceirizar" a responsabilidade pelo que acontece em sua vida. Se você perguntar para alguém, por exemplo, *"Como foi o ano para você?"*, a pessoa normalmente vai dizer que foi muito mal, que deu tudo errado, que ela quebrou e teve muito prejuízo.

Quando você perguntar *"Por que foi tão ruim assim?"*, provavelmente a resposta vai ser do tipo *"Porque a economia está uma porcaria, uma bagunça, com esse governo que a gente tem nada funciona. Eu quebrei porque esta cidade onde estou* não cresce, não *se desenvolve, não acontece nada por aqui"*. Ou então vamos ouvir o seguinte: *"Eu quebrei porque deixei a empresa na mão do funcionário, e você sabe como isso acaba... Funcionário tem cabeça de sardinha e não tem competência para tocar o negócio"*. Ou ainda vamos ouvir outras desculpas bastante conhecidas: *"Meu sócio estava me roubando e acabou com o capital da empresa"*. Ou *"Eu quebrei porque não tinha recurso, não tinha capital de giro"*.

Quando você perguntar para alguém *"Como está o seu emprego?"*, vai ouvir muitas respostas como *"As coisas não vão bem e eu não sou promovido porque trabalho em uma empresa familiar, e as coisas por lá são muito difíceis. É terra de leões, onde todo mundo quer comer todo mundo"*. Ou *"Eu não sou promovido porque tem muito bajulador de chefe na empresa, que sempre é escolhido para as promoções"*.

As pessoas vivem muito de *"mimimi"*. Ficam terceirizando a responsabilidade por sua própria vida. Elas não assumem o controle sobre o seu destino, sobre suas ações e sobre seus resultados. Costumo dizer que as pessoas têm sempre "um caminhão de desculpas" para "terceirizar" a responsabilidade pelos fracassos delas mesmas.

Desculpa é fuga. Fica muito mais confortável para a pessoa arrumar desculpas, porque dói menos quando ela pensa em seu fracasso. É mais fácil aceitar a situação quando ela joga para uma terceira pessoa a responsabilidade e a culpa que são somente dela.

Cada pessoa é líder do seu próprio destino, e ter consciência disso e assumir essa realidade na vida é o que a levará a ter controle sobre seus resultados.

Costumo fazer uma comparação com o controle da tevê. Em primeiro lugar, a pessoa só assiste à tevê se quiser. Ela pega o controle e aperta o botão de ligar ou de desligar. Segundo, ela só vai ficar no canal que está passando besteira se quiser ver aquela programação. Porque ela tem o controle para mudar de canal.

Então, ter o controle da sua vida nas mãos funciona de modo análogo. A pessoa pode selecionar o caminho que ela vai pegar por sua própria vontade. Ela tem inúmeras opções: *de escolher ser funcionário ou empreendedor, trabalhar numa empresa ou na outra, empreender um negócio ou outro, morar no Brasil ou no exterior, buscar aperfeiçoamento, ou não...*

Pessoas de sucesso não terceirizam responsabilidades e, por isso mesmo, têm o controle de sua vida em suas mãos. Elas assumem tudo o que fazem, chamam para si a autoria dos próprios erros, do próprio fracasso, e por isso estão sempre no controle de sua vida. E então fica muito mais provável elas saírem daquela situação, porque têm muito claro que só depende delas mesmas. Quando perdem, sabem que precisam achar um novo significado para os erros que as levaram àquela situação, para que assim possam acertar mais nas próximas vezes.

A pessoa bem-sucedida, aquela que tem o *mindset* expandido, sabe que é dona de seu sucesso e que tem de tomar decisões. Suas decisões nem sempre vão ser as mais corretas, mas, nesses casos, ela sabe que tem de se responsabilizar pelo próprio erro. O vencedor sabe que é dele a responsabilidade de seguir determinado caminho, ou outro diferente, tomar determinado rumo, ou outro. E jamais atribui aos outros as consequências das decisões que tomou.

Na minha vida, tive vários sócios, em vários negócios. Hoje inclusive tenho um sócio. Mas sei que sou eu que preciso fazer as coisas acontecerem e não deixar a responsabilidade na mão do meu sócio ou do meu funcionário. Vou lá e faço: *planejo, lidero, crio uma estratégia, conduzo, faço acontecer.* E o meu sócio faz a parte dele, com a mesma mentalidade. Nós dois agimos chamando a responsabilidade do que fazemos para nós mesmos.

Eu não sou o tipo de pessoa que fica só sentada, assistindo às coisas acontecerem, aos outros trabalharem, fazerem aquilo que eu deveria estar fazendo. Eu gerencio, lidero, faço a gestão, participo, sou a ferramenta, ensino. Não sou somente um gestor. Sou também um executor.

O pior erro de qualquer empresário é ficar só assistindo às coisas acontecerem e, depois que algo der errado, dizer *"eu deixei na mão de um funcionário, de um sócio, ou de outra pessoa qualquer, e deu errado"*. Então, não terceirize a sua responsabilidade. Faça o que é preciso fazer, junto com todos, e assuma a frente da busca pelos resultados. Isso vai trazer para as suas mãos o controle dos seus negócios, da sua vida.

Um dos grandes fracassos na minha vida aconteceu exatamente porque terceirizei a responsabilidade pelo negócio e perdi o controle da situação. Eu e meu sócio abrimos uma filial em Goiânia, juntamente com um terceiro sócio. E deixamos na mão dele gerenciar toda a nossa nova área de ação. Terceirizamos a responsabilidade pela nova filial e depois descobrimos que tínhamos perdido o controle da empresa, encontramos um monte de falhas, um rombo financeiro, falta de pagamento de fornecedores e prestadores de serviço, enfim, muitos problemas que acabaram fazendo com que tivéssemos de fechar a filial, mandar todos os funcionários embora e assumir uma dívida de mais de três milhões de reais.

Esse foi um grande fracasso nosso, uma grande perda, e ficamos muito mal, tanto emocional quanto financeiramente. Porém, como naquele momento nós já tínhamos o nosso *mindset* bem definido e voltado para o sucesso, pudemos fazer mais um *turnaround.* Acreditávamos que éramos corresponsáveis pelo que aconteceu, que tínhamos grande participação e responsabilidade por aquela situação, e que a empresa só tinha chegado até aquele ponto porque nós não conseguimos fazer o monitoramento adequado dos negócios, não acompanhamos os processos nem demos o suporte necessário. Deixamos de olhar aquela filial bem de perto, porque terceirizamos a responsabilidade por ela.

Concluindo: éramos também responsáveis por aquele fracasso. Nós não nos envolvemos o suficiente, não participamos tanto quanto deveríamos. Acreditamos simplesmente que nosso sócio daria conta do recado e não fiscalizamos de perto como as coisas estavam sendo conduzidas. E deu no que deu: um rombo enorme, prejuízo financeiro, estratégico e até mesmo emocional, um fracasso dolorido e uma frustração muito grande.

Essa é a grande importância de assumir o controle dos seus resultados. Em toda a minha história de vida, desde o meu primeiro trabalho, aos nove anos de idade, tomei decisões e assumi a responsabilidade pelas consequências. Porque eu sempre soube que, se eu não tomasse decisões, iria fracassar. E, se eu não me responsabilizasse pelas consequências, não teria credibilidade nem aprenderia com os meus eventuais erros.

Então tomei a decisão de trabalhar com nove anos, de enfrentar o mundo, de empreender, de sair do país e ir para o Japão. Tomei a decisão de me tornar um cara bem-sucedido dentro da comunidade brasileira no Japão e conquistei um cargo importante dentro de uma grande empresa naquele país, tornei-me empreendedor por lá, construí meu destaque dentro da comunidade em que eu vivia. Quando voltei para o Brasil, decidi entrar no mercado imobiliário e me tornei um multiplicador de milhões. Sempre tive o controle da minha vida, mesmo nos momentos de derrotas e fracassos, porque sempre decidi qual era o caminho que queria seguir.

Hoje vejo que, se eu não tomasse todas as decisões que tomei, teria acabado como muitos amigos da minha cidade que vivem lá até hoje, não saíram do lugar, não cresceram, não progrediram e acabaram tendo muito menos do que poderiam ter.

Compreenda com clareza o significado de ter o controle da sua vida: nunca terceirizar a responsabilidade pelos seus fracassos. Se você ganha, a glória é sua, mas se você perde, a culpa é sua também. Pare para avaliar o que você está fazendo de errado, de modo a poder corrigir e começar a seguir por um novo caminho, da maneira correta, de modo mais assertivo.

Decida sempre a sua vida, siga em frente e esteja sempre pronto para assumir as consequências dos seus atos e das suas decisões.

Quando entende esse princípio e muda o seu *mindset* com base nele, você assume os comportamentos que o farão crescer a cada passo, a cada resultado, a cada vitória ou derrota.

Um exemplo muito interessante de como é possível adquirir esse posicionamento vem do Curso Empretec, realizado no Brasil exclusivamente pelo Sebrae – mais precisamente, é uma metodologia da Organização das Nações Unidas (ONU) voltada para o desenvolvimento de características de comportamento empreendedor e para a identificação de novas oportunidades de negócios.

Tive a oportunidade de fazer esse curso em 2007, em Vitória, ES. A ideia é trabalhar como uma incubadora de negócios, em que você precisa criar a empresa, criar de fato um negócio e ir para o mercado testá-lo. Era um treinamento de apenas dez dias, mas mesmo assim a empresa que criei foi a que mais faturou naquela época. Eu e meu sócio nesse projeto ficamos então com o título de vencedores da "CRIA", nome dado para a criação de uma empresa dentro do curso.

Agora, o detalhe importante nessa metodologia é que eles trabalham forte para que a pessoa coloque em sua própria mente a ideia de que *"ela é a protagonista"* dessa história. *"O foco tem que estar sempre em você mesmo"*, eles diziam e repetiam. Assim, sempre que alguém falava na segunda ou terceira pessoa, eles corrigiam e diziam para usar o pronome *"eu"*. Sempre que a pessoa tentava jogar a ação ou a responsabilidade para os outros, mesmo que fosse apenas no modo de se expressar, eles intervinham e pediam para chamar a responsabilidade para ela mesma.

Porque é você o protagonista da sua vida, dos seus negócios, da sua empresa. Você é o dono do seu resultado. Você é o líder do seu destino, é você que vai lá e faz, vai meter a mão na massa; não é fazer tudo, porque isso seria impossível. Mas você tem que ser o responsável por tudo. Você tem que ser o líder, o gestor; o destino do seu negócio tem que estar em suas mãos.

Princípio da expectativa do extraordinário

Nunca se contente com seus resultados, lembre-se de que eles podem e devem ser melhorados.

Tenha sempre a expectativa do "extraordinário". Fazer *"bom"* é obrigatório nos dias de hoje e não diferencia ninguém, não torna ninguém especial. É preciso ir além do *"bom"* e, mais ainda, muitas vezes é preciso fazer mais do que o ótimo. Afinal, o ótimo não é suficiente onde o extraordinário é esperado.

O segredo é: *nunca se contente com seus resultados, sempre busque melhorá-los, mire no extraordinário. Busque a excelência em tudo.*

As pessoas costumam dizer *"Assim tá bom"*. Quando vão fazer algo, dizem *"Vamos fazer dessa forma, porque assim 'tá bom'"*. "Vamos entregar assim mesmo porque *'assim tá bom'*." "Vamos colocar como meta vender 10 mil, 100 mil, 1 milhão por mês, porque *'tá bom'*."

É importante entender que esse *"assim tá bom"* depende muito das referências que você tem, e não quer dizer necessariamente que está bom de verdade. Em minhas palestras, dou um exemplo para tornar isso claro.

Imagine que você tem dois vizinhos. O seu vizinho do lado esquerdo vive em uma casa inferior à sua, tem um carro pior que o seu e ganha muito menos dinheiro que você, não viaja muito, tem uma qualidade de vida inferior à sua. Quando olhar para esse vizinho do lado esquerdo, você vai pensar que a sua vida está boa. Vai dizer que está bom do jeito que está.

Porém, quando olhar para o seu vizinho do lado direito e perceber que a casa dele é melhor, o carro dele é mais novo e mais caro, ele ganha mais dinheiro, viaja para o exterior duas a três vezes por ano, tem uma qualidade de vida muito melhor do que a sua, provavelmente você terá uma destas reações: se você for uma pessoa derrotista, de mente estreita, com crenças limitantes, vai entrar em depressão e se sentir um fracassado.

Porém, se você for uma pessoa de *mindset* expandido, vai pensar algo como *"Minha vida não está tão boa, mas eu posso melhorar. Posso me espelhar no meu vizinho aqui e procurar ser melhor ou igual a ele. Se ele conseguiu, eu sei que também posso"*. Então a sua expectativa muda, o seu olhar, o seu senso de direção, a sua meta, o seu planejamento, a sua energia, os seus desejos mudam para um patamar mais alto, porque você vai usar como referência alguém que está melhor do que você.

Então tudo depende de sua ótica, suas crenças e expectativas. E elas dependem de quais referências você usa para construir a sua vida. É muito importante você ajustar bem as suas lentes, as suas referências, para que as suas expectativas sejam as melhores e as mais ousadas possíveis. É preciso cuidar bem das suas referências, porque elas norteiam suas expectativas e consequentemente determinam os seus resultados. Se a sua expectativa é do "bom", você sempre vai buscar o bom como resultado. Por isso, sua expectativa tem que ir muito além disso, tem que estar mirando no "excelente".

Por exemplo, você, como prestador de serviços, ou empresário, tem que dar o máximo de si para entregar o melhor para o seu cliente. Ou como funcionário, se você trabalhar na empresa como se fosse o dono, com certeza entregará mais do ótimo, o extraordinário, e vai crescer ali, em decorrência disso.

Se você for um empreendedor visionário, inteligente, estrategista, de visão de futuro, vai sempre buscar entregar, no mínimo, o ótimo para o seu cliente. Normalmente as pessoas têm aquela ideia de *"eu estou fazendo o bom e isso já é o suficiente"*. Mas, reforçando aqui, lembre-se sempre deste ponto: o bom é obrigatório nos dias de hoje. Um atendente tem a obrigação de fazer o bom. Então, se ele quer se destacar, ele tem que fazer o ótimo, o excelente. Porque muitas vezes você é atendido de um jeito que dá a impressão de que o atendente está lhe fazendo um favor. E isso jamais pode acontecer entre você e seus clientes.

O bom é obrigatório nos dias de hoje e o ótimo deve ser buscado. Mas lembre-se de que o ótimo não é ótimo onde o extraordinário é esperado. Quer ter uma vida extraordinária? Comece fazendo coisas extraordinárias!

Quando você tem a expectativa e o propósito de fazer sempre o extraordinário, vai sempre entregar mais. É aquela ideia de elasticidade, que diz que todo ser humano sempre pode mais. Todo ser humano pode fazer melhor, fazer mais, doar-se mais, trabalhar um pouco mais, aguentar e resistir um pouco mais, caminhar alguns passos a mais do que o que é esperado dele. Sempre podemos fazer melhor do que fazemos.

Costumo dizer que é preciso que você jamais se contente com os seus resultados. Que seja um eterno inconformado. Que acredite que sempre dá para fazer mais e melhor.

Por exemplo, quando a minha empresa lançava um empreendimento imobiliário e no final de semana a gente vendia 70%, alguns coordenadores e gestores de produtos ficavam muito felizes com o resultado. Tudo bem, a gente ficava feliz, mas sempre ficava uma pergunta na minha mente: *"Por que não vendemos 100% no final de semana?"*. E quando a gente vendia 100% no final de semana, eu perguntava: *"Por que não vendemos 100% em um dia?"*. E quando vendíamos 100% em um dia, a pergunta era: *"Por que não vender 100% em algumas horas?"*.

Quero deixar claro que isso não tem nada a ver com perfeccionismo. Tem a ver com outro princípio de vida que tenho, que diz *"hoje quero ser melhor do que ontem e amanhã ser melhor do que hoje"*. Quando temos isso incorporado em nosso modo de ser e agir, sempre vamos querer ir mais adiante, sempre vamos procurar ser melhores.

Esse é o princípio de todos os grandes vencedores e grandes empresas do mercado. Por que o Windows sempre lança uma versão melhor? Porque ele atualiza, corrige os *bugs*, traz novas tecnologias, novas ferramentas, ou seja, dá para fazer melhor do que eles fizeram. Por que que Steve Jobs sempre lançava um iPhone novo, um iPad novo, um *notebook* novo? Porque cada produto precisava ser melhor do que o anterior. É claro que também existem interesses comerciais envolvidos, mas a ideia permanente nesse princípio de trabalho é que *"o produto ou serviço sempre pode ser melhorado"*.

Então tudo pode ser melhorado. Por isso, jamais se contente com o bom e não se satisfaça com o ótimo; busque sempre o extraordinário. Quando você buscar o extraordinário, vai ser norteado por essa expectativa e, consequentemente, o seu resultado vai ser muito melhor.

Gosto muito de uma frase que diz *"Mire nas estrelas, norteie-se pelas estrelas, busque as estrelas. Se você errar o alvo, pelo menos vai ter voado muito mais alto e longe"*. Então, a ideia principal aqui é que sua expectativa tem que ser sempre muito grande. Mas é claro que essa expectativa não pode ser vazia, isto é, não pode ser uma expectativa irreal e sem a devida ação associada a ela. Suas expectativas precisam sempre estar atreladas às condições de que você dispõe no momento presente e devem ser acompanhadas das ações correspondentes para que você torne essas expectativas realidade.

Explico: não adianta você, por exemplo, sonhar em ganhar um milhão de reais da noite para o dia, se você ganha três mil reais por mês. Você tem que ter consciência de que seu sonho é possível, mas sempre deverá realizá-lo de maneira coerente. Acompanhe, no esquema a seguir, as etapas necessárias para a realização de suas metas.

- Tenha uma expectativa grande. Tenha sonhos grandes.
- Avalie a sua condição atual.
- Trace um plano estratégico.
- Comece pequeno se preciso, dentro das suas possibilidades.
- Trabalhe forte. Cresça rápido.
- Observe sempre o seu *mindset* e o mantenha direcionado para a sua meta.
- Acumule novas e boas competências.
- Promova mudanças desejáveis em seu comportamento.
- Conquiste a sua meta.

Colocando em uma forma mais visual, temos:

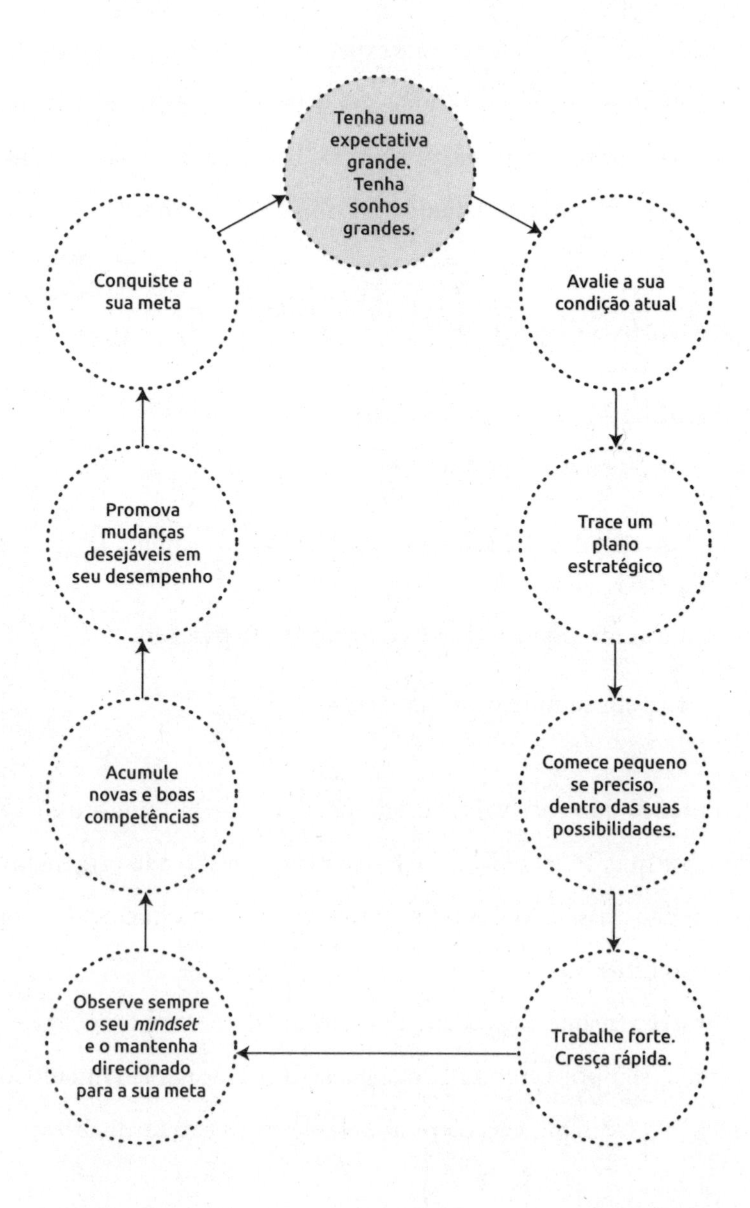

Para finalizar este tópico, quero reforçar a ideia: seja inquieto, seja incomodado com os seus resultados; independentemente de quais eles sejam, busque melhorá-los sempre. Tenha uma expectativa constante do extraordinário, sonhe grande, mire nas estrelas.

E lembre-se de que ter grande expectativa não é simplesmente desejar e ficar esperando, de modo passivo, que suas metas se realizem. É preciso mirar no extraordinário e agir para realizá-lo, atrelando a essa ação todo o princípio de vida com que estamos trabalhando neste livro.

Princípio do aprendizado no erro e no fracasso

Dificuldades e fracassos preparam pessoas comuns para ter destinos extraordinários.

Existem duas atitudes que acabam com qualquer possibilidade de sucesso:

- Ficar remoendo os erros e fracassos do passado;
- Repetir sempre os mesmos erros.

Entenda que você vai errar muito e fracassar bastante até chegar ao sucesso que quer ter em sua vida. Isso é inevitável. Só não erra quem não faz, quem não arrisca. Mas, no final, você vai perceber que esse é o maior de todos os erros.

Então, arrisque, faça o que tem que ser feito e aceite os seus erros. Mais ainda, sempre aprenda com seus erros e fracassos. Dificuldades e fracassos preparam pessoas comuns para destinos extraordinários.

"O fracasso é a oportunidade de começar de novo com mais inteligência e redobrada vontade."

- HENRY FORD

Tendemos a considerar como fracassos os resultados que obtemos, mas não queremos. Porém, esses "fracassos" são apenas *feedbacks* que recebemos da vida, são oportunidades que temos para aprender.

Por isso é que sempre digo: quando perder a aposta, não perca a lição. Quando errar, não perca o aprendizado. Aproveite cada resultado seu – seja positivo, seja negativo – para estimular o seu crescimento e a sua caminhada até a vitória.

Para aprender no erro e no fracasso, como já conversamos anteriormente, o primeiro passo é parar de terceirizar a responsabilidade pelos seus resultados negativos. Só você é o responsável pelos seus fracassos e sucessos, porque você é o líder do seu destino. Chamar para si a responsabilidade por um erro dá a você o poder de recomeçar e fazer diferente.

"O fracasso é um evento, não uma pessoa."

- ZIG ZIGLAR

Outra coisa muito importante que é preciso ter em mente é que você pode até sofrer alguns fracassos, mas não é um fracassado. Pelo menos não precisa ser, porque você pode mudar tudo o que percebeu que não deu certo em sua vida e fazer de novo, por um novo caminho, mais viável. Como disse Richard Nixon, ex-presidente norte-americano, *"Um homem não está acabado quando enfrenta a derrota. Ele está acabado quando desiste do seu sonho ou quando para de lutar"*.

Portanto, pare de remoer os seus enganos do passado, aprenda com seus erros, para não tornar a repeti-los, levante-se a cada queda que acontecer em sua vida e siga em frente persistindo com foco no seu sucesso. E chegar até lá vai ser apenas uma questão de tempo.

Princípio da crença

A intensidade e a grandeza de suas crenças determinam aonde você vai chegar.

A crença é um estado psicológico que adotamos e mantemos como se fosse uma verdade absoluta, influenciando nossa vida, nossa maneira de agir, de reagir, de conduzir nossos relacionamentos, atitudes e nossos resultados.

O psicólogo canadense Albert Bandura nos ajuda a entender que uma forte crença, desde que positiva, pode contribuir para uma forma mais assertiva de lidar com o mundo, nos encoraja a assumir tarefas mais difíceis e a persistir nelas em busca de soluções e de resultados desejáveis.

O processo de formação de nossas crenças ocorre a partir de influências diversas, como:

- As crenças de pessoas com quem convivemos na infância são interiorizadas por nós e as assumimos como sendo nossas;
- Uma religião ensinada e vivida na infância produz crenças fortes e duradouras;
- Podemos adotar as crenças de alguém que exerça uma liderança carismática nos grupos em que convivemos;
- A propaganda, a mídia, a repetição de mensagens fortes e impactantes podem influenciar nossas crenças e mudá-las, ou mesmo formar novas.

Independentemente de sua origem, uma vez que as crenças se formam e se instalam na mente, as pessoas se agarram firmemente a elas e agem de acordo com o que ditam, mesmo que muitas vezes isso seja contra seu próprio interesse.

Enfim, a crença se instala na mente de modo natural, porém, sempre é possível fazer um trabalho de mudança consciente dessas crenças com o uso de métodos propriamente direcionados para isso e até mesmo com a ajuda de profissionais especializados.

Nossas crenças estão ligadas às motivações do que fazemos e como fazemos. Mas podemos decidir fazer diferente, mudar nossas crenças, e até mesmo decidir se incorporamos ou não determinadas crenças, de acordo com a nossa conveniência.

Por exemplo, aos dezoito anos, eu era dono de uma sorveteria em minha cidade natal. Naquela mesma rua, havia uma senhora que era minha cliente frequente. Ela sempre tirava um tempinho para vir tomar um sorvete e conversar comigo. Era uma pessoa simpática, amável e bondosa. Certo dia, ela se sentou à mesa e me chamou para conversar. Como uma vidente, começou a falar como seria o futuro em minha vida. Ela disse: *"Você vai ser uma pessoa conhecida em nível nacional, vai ser como um doutor, vai ter um reconhecimento muito grande, tornar-se uma grande autoridade"*.

Fiquei com aquilo na cabeça e sempre, até hoje, essa lembrança vem à minha mente. Resolvi acreditar no que ela disse e transformei isso em uma crença. Era algo positivo, e, de alguma forma, senti que poderia me ajudar. Transformei essa ideia em uma verdade em minha vida. Eu poderia ter decidido descartar essa informação e construir uma crença contrária ao que a senhora disse. Mas, com certeza, meus resultados seriam bem diferentes do que são hoje, não sei se para melhor ou para pior, mas com certeza seriam diferentes, porque minhas crenças seriam outras.

Porém, é importante ressaltar aqui que adotei essa crença positiva, mas depois arregacei as mangas e continuei a trabalhar forte, fui para cima dos desafios e busquei com determinação meus objetivos; fiz acontecer. De nada adiantaria ficar somente com a crença no sucesso, sem fazer coisa alguma para que ele acontecesse.

Nós decidimos no que queremos acreditar, mas temos que tomar muito cuidado, porque o tempo todo somos bombardeados com diversas informações e muitos convites para acreditar nas mais variadas coisas, muita energia positiva ou negativa. E temos que filtrar o que vamos manter em nossa mente, como base para viver nossa vida e correr atrás de nossos sonhos.

Toda vez que construímos crenças limitantes, crenças negativas, perdemos muito e limitamos o nosso sucesso e a nossa satisfação com a vida. Tem gente que acredita, por exemplo, que o trabalho duro não traz dinheiro, que existem caminhos mais fáceis para fazer fortuna, que os jogos de azar um dia irão resolver a vida delas, e tantas outras coisas parecidas com essas. É dessas crenças negativas e limitantes que devemos nos afastar. Precisamos concentrar a força em crenças construtivas, positivas, capazes de ampliar nossos horizontes.

Tenha sempre em mente que é você quem escolhe aquilo em que quer acreditar. Portanto, a decisão sobre quais influências você vai trazer para a sua vida está sempre em suas mãos. Escolha de modo consciente e com vontade verdadeira de vencer e fazer uma diferença positiva no mundo.

Costumo falar que o nosso destino depende de nossas crenças. Porque é a nossa crença que nos dá uma ideia da direção que queremos e devemos seguir. Ter crenças positivas e construtivas já é um ótimo começo. Mas lembre-se sempre de que somente a crença não basta. Existe um conjunto de outros fatores que fazem você seguir em frente e buscar realizar o que deseja. É o conjunto de fatores que criei no *Modelo de Transformação Turnaround*, que compõe os três pilares.

Uma crença positiva forte e clara ajuda muito. Mas é preciso fazer algo produtivo com essa crença, para realizar seus sonhos. Por exemplo, acredito que o trabalho consistente e duro *(hard work)* faz com que a gente tenha um resultado diferenciado e superior. Mas não basta apenas acreditar nisso se eu não trabalhar o suficiente para me sobressair no meu mercado de trabalho.

Veja bem: quando comecei no mercado imobiliário, todos os meus concorrentes trabalhavam de segunda a sexta-feira, oito horas por dia – alguns esporadicamente trabalhavam aos sábados até o meio-dia. Com base nessa crença do *hard work*, trabalhei durante anos de segunda a sexta-feira doze horas por dia, e no sábado, trabalhava até as cinco da tarde. Isso significa que estava algumas horas por semana, muitas horas por mês e dezenas de horas no ano à frente dos meus concorrentes.

É claro que também é preciso trabalhar com inteligência, com planejamento, com estratégia. Frisando novamente: é um conjunto de fatores que nos leva aos resultados excepcionais. Mas você já sai na frente só pelo fato de trabalhar mais, trabalhar duro e estar disposto a dar pelos seus negócios muito mais dedicação e intensidade do que os seus concorrentes dão aos deles.

Outro exemplo de crença limitante é ter a ideia fixa de que *"tudo vai dar certo, independentemente do que eu faça"*. Pensar assim é como acreditar que a vida é feita de golpes de puro acaso.

Muitas pessoas acreditam tanto na sorte que se entregam a ela e a deixam conduzir sua vida. Entretanto, muitas vezes se tornam acomodadas e, em certos casos, se tornam preguiçosas. Porém, eu acredito que a sorte é buscada, e não naquela que cai do céu direto no seu colo.

Um exemplo do que estou dizendo é o seguinte: eu me relaciono com muitas pessoas, em especial com aquelas que fazem parte dos objetivos que quero buscar. E muita gente olha para o meu sucesso e diz que eu tenho sorte. Só que poucas dessas pessoas sabem qual é mesmo a minha estratégia. Poucas compreendem que eu busco e construo a minha própria sorte.

O que é que eu faço para "ter sorte"? Frequento os lugares que as pessoas que quero conhecer frequentam, me aproximo de pessoas que têm relacionamento com outras pessoas com quem me interessa interagir, para que elas possam me apresentar. Crio relacionamentos com as pessoas que vão na mesma direção que estou seguindo. Ou seja, busco as condições para que as coisas deem certo na minha vida. É daí que vem a minha sorte.

Portanto, acredito que a sorte é uma coisa que deve ser procurada, condicionada, desenvolvida. Minha crença é que sorte é uma coisa que a gente desenvolve e atrai. E podemos usar isso para conquistar o nosso sucesso. Você trabalha de modo a virar a sorte a seu favor. Isso não é uma coisa do acaso.

Alguém que ganha na loteria e então "resolve sua vida" não pode dizer que é um cara de sorte. Ele apenas foi tocado pelo acaso. Porque, se tivesse sorte mesmo, tudo o que ele faz na vida daria certo, tudo daria resultado. E ganhar na loteria não seria a única alternativa que teria para resolver a vida dele.

Em um dos muitos livros que já li, chamado *Toda a sorte do mundo,* de Theresa Cheung, a autora fala exatamente sobre isso. Há muito tempo, penso dessa forma e, quando li esse livro, inspirei-me ainda mais e pude validar essa crença. Você precisa procurar se condicionar a fazer com que as coisas aconteçam na sua vida. E isso, para muitos, se chama sorte.

Outra crença que pode ajudá-lo "a dar a volta por cima" em qualquer situação é aquela que diz *"Isso aconteceu assim porque tinha que acontecer"*. É o que eu chamo de aceitação. Mas não é uma aceitação passiva. Você aceita o que aconteceu, digere a situação e se levanta para seguir em frente. Você caiu? Aceite isso e depois *"levanta, sacode a poeira e dá a volta por cima!"*.

Antigamente, quando acontecia alguma coisa ruim na minha vida, eu ficava me remoendo com aquilo. Por exemplo, eu batia o carro e ficava dias e dias me penitenciando. Se passassem dois ou três meses e batesse o carro de novo, eu já achava que era uma pessoa de muito azar.

Porém, com o tempo, mudei o meu *Mindset* e o expandi, mudei a minha maneira de pensar e de interpretar os fatos em minha vida. E passei a ressignificar as coisas que aconteciam. Então passei a pensar de modo diferente: se acontece de eu bater o carro, ou algo de errado ocorrer, entendo que "aconteceu assim porque tinha que acontecer", isto é, eu aceito a situação, sem me rebelar, sem reclamar. Depois busco uma solução para consertar a situação e minimizar os efeitos da minha falha. Feito isso, analiso o meu comportamento naquela situação, revejo minhas atitudes e o meu modo de pensar que me levaram àquele resultado. E procuro corrigir os meus erros para evitar que o mesmo fato ocorra de novo.

Perceba que a crença de que *"tinha que acontecer assim, tinha que ser assim e não poderia ser diferente"* me dá a tranquilidade para agir de modo positivo e assertivo. Aconteceu e é passado, fato ocorrido, realizado. Não dá para fazer nada mais por ele. Então, para que ficar guardando mágoa, se estressando, se remoendo?

Com o *mindset* preparado para esse tipo de atitude diante das adversidades, é possível ter menos estresse e aproveitar melhor cada coisa que acontece na sua vida.

Outras situações que podem tirar a energia de alguém e lhe gerar crenças limitadoras têm a ver com fatos como ter nascido em uma cidade pequena, sem recursos, não ter feito faculdade, ser de família pobre, e tantos outros fatores que são comuns na vida. Se a pessoa usar tudo isso como desculpas para se fazer de vítima, fazer-se de "coitadinha", suas crenças serão tão pesadas que ela não irá muito longe na trilha do sucesso. Por isso, outra crença que cultivo e recomendo que você desenvolva diz que *"não importa a situação de onde eu saí, ou a situação atual em que estou hoje, posso chegar aonde eu quiser"*. Essa é uma das minhas crenças principais.

Eu também acredito que posso realizar o impossível. Não acredito que o céu é o limite, porque, quando se fala que há um limite, estamos colocando barreiras, estamos blindando, colocando um ponto de bloqueio na nossa vida. Como diz no *Guinness Book*, *"recordes são para serem quebrados"*. Então, se você não os quebrar, alguém vai fazê-lo em seu lugar.

Então não existe limite, não existe impossível, não tem aquela ideia de que *"já foi feito o máximo possível e daqui para a frente não dá para fazer mais nada"*.

A grande lição que devemos aprender da vida é que acreditamos naquilo que queremos, da forma como queremos acreditar. Então o melhor é acreditar nas coisas certas, que nos elevem sempre ao próximo patamar da vida. Por isso, escolha acreditar nas coisas certas. Use suas crenças a seu favor.

Tome cuidado para que a sua crença não seja negativa, nem limitante. Cuide para que a sua crença não seja pequena. Acredite profundamente que você vai conseguir o que busca e que seu sucesso é possível. Acredite sempre que a realidade atual pode ser mudada para melhor!

Tenha crenças grandiosas. Porque, se você acreditar que vai chegar na velhice e terminar sua vida tendo uma vida medíocre, modesta, isso é o que vai acontecer.

Afinal, por que não acreditar que, já na meia-idade, você vai poder se aposentar (se quiser, porque não tem necessariamente que parar de trabalhar se você ama o que faz) e ter uma renda substancial, sem ter necessidade de pensar no dinheiro como um recurso de sobrevivência? Por que não acreditar que a sua empresa pode ser uma das maiores do Brasil ou quem sabe uma das maiores do mundo? Por que não acreditar que você pode ser o profissional mais reconhecido e procurado da sua área?

Acredito muito que, na minha empresa, tudo pode ser melhorado, e que estamos a caminho da excelência. Creio que tudo, inclusive as pessoas, pode hoje ser melhor do que era ontem, e amanhã ainda melhor do que é hoje. Acredito que o desenvolvimento é uma das melhores ferramentas para se conseguir o que quiser.

A principal ideia a ser entendida aqui é que *"o tamanho do seu sucesso* é determinado pela intensidade *e pela grandeza de suas crenças"*.

Princípio do ressignificar

Liberte-se rápido do seu passado

Muita gente, quando acontece alguma coisa ruim, se prende àquela situação e não consegue superar aquele evento. E, quando algo mais acontece, vai acumulando as negatividades e transforma tudo isso em um trauma, que acaba atrapalhando toda a vida.

Por exemplo, você bate o carro numa semana, na outra leva uma multa, na semana seguinte briga com seu cônjuge e depois ainda é despedido ou perde um grande negócio. É bastante provável que você passe a acreditar que é um azarado, ou que está vivendo uma maré de azar, e que nada acontece de bom na sua vida.

O problema é que, se você mantiver isso em sua mente, de maneira negativa, esses fatos podem estimular o desenvolvimento de uma crença negativa, que vai fazer com que você se desvie do caminho do sucesso, que desacredite na sua capacidade de ser bem-sucedido e feliz.

É preciso abandonar o que é passado, deixar de se prender às coisas que não existem mais, sejam elas positivas, sejam negativas. Acabou, deixe ir embora. E siga você mesmo por um novo caminho, para novas conquistas e novas experiências.

Quando falo sobre isso, gosto de citar um livro com o título *Quem mexeu no meu queijo?*, de Spencer Johnson. Nele existe uma história sobre quatro personagens – dois ratos e dois duendezinhos – que vivem em um labirinto, em uma eterna procura por alimento, que, para eles, era o queijo. Quando acabava o estoque de queijo, os dois ratinhos ficavam se lamentando e não se movimentavam, não tinham nenhuma atitude proativa para sair daquele estado. Ficavam apenas esperando e reclamando, achando que uma hora iriam voltar ao local do estoque e todos os queijos estariam lá novamente; já os dois duendezinhos saíam rápido à procura de novos queijos.

Nessa história, os personagens se defrontam com mudanças, mas não as aceitam – assim como muitas pessoas do nosso dia a dia que não aceitam as mudanças que ocorrem, ou não se adaptam a elas e continuam a insistir na possibilidade de tudo voltar a ser como era antes.

No mundo dos negócios, existe muita gente que perde faturamento na empresa, mas fica só esperando que a economia volte a melhorar, em uma postura passiva, de simples espectador, sem fazer coisa alguma para sair daquela situação. Outras pessoas passam o dia lembrando-se dos "bons tempos em que os clientes lotavam sua loja" e reclamando dos dias atuais com poucas vendas, sem nem mesmo desenvolver ações para trazer mais clientes para o seu negócio.

O grande problema é que essas pessoas não buscam dar um novo significado para os acontecimentos. Elas não aceitam que tudo agora está diferente e exige uma nova postura. Não compreendem que a situação anterior acabou, é parte do passado, não existe mais. Gosto de citar que "não adianta você ter a resposta se a pergunta já mudou...".

É preciso dar um novo rumo para as coisas: se o seu negócio não dá mais certo, então vá para outro. Se o que você fazia antigamente já não está mais funcionando, mude o seu modo de agir e as ações que você empreende. Se as exigências do cliente mudaram, ajuste o seu sistema para atendê-lo ainda melhor.

Houve uma época em que minha empresa fracassou, bati o carro duas vezes, meu carro foi apreendido, todos os amigos se afastaram, todos os clientes sumiram, nada dava certo em minha vida. E eu ficava me remoendo e culpando, me torturando, reclamando da minha maré de azar. E tudo isso só piorava a situação.

Então aprendi sobre *ressignificação* e passei a reagir de modo mais positivo e muito mais rápido diante de qualquer dificuldade. Não importava se em um dia eu estava às voltas com uma grande decepção, no dia seguinte eu já estava de pé bem cedo, lavava o rosto e saía para começar de novo, saía para procurar clientes, fazer negócios, reinventava estratégias, adotava novas ações e dava outro significado para a minha vida.

Uma das grandes lições que aprendi com o empresário Carlos Wizard foi exatamente que *"todo mundo tem que se desapegar do seu passado"*. Tem muita gente que era milionária, ou era bem-sucedida, tinha um emprego bom, mas levou um baque da vida e ficou presa no passado, sem ação, e tentando restaurar algo que já havia acabado, que não tinha mais sentido.

Agora, tão perigoso quanto tentar viver no passado é deixar para viver somente no futuro. Sacrificar o dia de hoje em função de uma esperança de ter um amanhã melhor. O que nós temos mesmo é que viver o presente, gastar a nossa energia no presente e viver o que temos de viver a cada dia. De nada serve gastar tempo com o passado, porque ele já foi. Assim como também não convém tentar viver no futuro.

Em uma de minhas viagens ao Japão, conheci uma jovem senhora que estava indo àquele país novamente para trabalhar. Não tive como não me comover ouvindo sua história. Era uma mãe solteira que acabara de ter seu terceiro filho e que também descobrira que estava com câncer. Ela não tinha dinheiro para fazer o tratamento nem para cuidar dos três filhos. A história era muito triste, pois ela tivera que deixar seus filhos no Brasil e retornar sozinha para o Japão. O pior é que ela já havia trabalhado naquele país por dezessete anos, mas voltou ao Brasil com algum dinheiro e perdeu tudo, inclusive o marido. Todos os sonhos pelos quais ela havia batalhado durante tanto tempo, privando-se de muitas coisas durante esses dezessete anos, levaram-na até uma realidade tão dura.

Assim acontece com muitas pessoas: sacrificaram o presente para cuidar do futuro e, no final das contas, acabaram não tendo nem presente nem futuro.

É preciso tomar cuidado com esses dois momentos da sua vida: o passado, que já foi, e o futuro, que ainda não existe. Esses dois tempos estão fora do seu alcance, e você não pode vivê-los hoje. Gaste sua energia vivendo o presente de forma intensa.

Um dos segredos do sucesso é aprender a ressignificar os acontecimentos da sua vida, interpretar o que já aconteceu e tirar daí as lições para viver melhor o seu dia de hoje. Dessa maneira, você se capacita a absorver muito mais rápido os acontecimentos desagradáveis do passado e se prepara melhor para viver o presente – e, assim, prepara melhor o seu futuro.

Como ressignificar acontecimentos da sua vida de maneira positiva? Veja alguns exemplos:

- Se você sofre um acidente de carro, pense que é muito bom que você esteja vivo, inteiro, que não tenha acontecido nada com você, com sua família, com outras pessoas envolvidas. Então você só bateu o carro... Tudo bem. Siga em frente.
- O seu negócio não deu certo? Você fracassou? Parta para outro negócio. Afinal, agora você tem a experiência que adquiriu na empreitada anterior. Aproveite para se reinventar.
- Não deu certo o casamento, dê a volta por cima e siga sua vida. Dê a si mesmo uma chance de encontrar um novo alguém, um novo amor.

Quando você ressignifica um acontecimento, toma para si o poder de mudar algo em sua vida e consegue reagir muito mais rápido a qualquer contrariedade. Então, não tem por que ficar muito tempo se lamentando.

Ressignifique os acontecimentos em sua vida. O que já passou, passou. O que já aconteceu, aconteceu. Acredite: vai doer menos se você deixar ir o que já acabou. A dor vai passar mais rápido, e você estará pronto muito antes para uma nova ação de *turnaround.*

Princípio dos valores adequados

Nossos valores afetam nossa conduta

Valores são o conjunto de características de determinada pessoa ou organização que determinam a forma como a pessoa ou a organização se comportam e interagem com outros indivíduos e com o meio ambiente. Nossos valores morais afetam a nossa conduta.

Um comportamento digno e recomendável costuma ser construído sobre valores como *honestidade, integridade, transparência, inteligência, inspiração, flexibilidade, responsabilidade, inovação, sustentabilidade, contribuição, trabalho duro.*

Porém, uma das crises mais graves que enfrentamos nos dias de hoje é a da inversão de valores. A crise de valores fica clara quando, por exemplo, vemos pessoas considerando o egocentrismo como virtude e a humildade como fraqueza. Essa é uma situação que afeta a todos, sem distinção, pois nesse contexto as pessoas passaram a viver cada vez mais de maneira egoísta, cruel e violenta, o que as leva a viver de modo medíocre e sem sentido.

Na busca pelo sucesso, principalmente, jamais devemos abrir mão dos nossos valores verdadeiros, daquelas nossas características que nos tornam mais humanos e que fazem com que valha a pena lutar pelos nossos objetivos. Crescer e evoluir tem que ser feito de tal forma que, quando chegamos ao topo da escalada, levamos conosco tantas pessoas quantas contribuíram para a nossa evolução, para as nossas conquistas. E muitas mais ainda, a quem inspiraremos para que empreendam também uma jornada vitoriosa, digna e proveitosa para todos.

O sucesso tem que ser buscado com garra, energia e determinação, mas nunca com o sacrifício de nossos valores verdadeiros. Porque nenhum sucesso é completo, nem vale o preço, quando você abre mão de seus valores para atingi-lo.

Todo o seu trabalho precisa estar associado a um conjunto de valores verdadeiros e positivos, para que você não corra o risco de desperdiçar tempo e esforço na construção de algo insustentável.

Muito do que sou aprendi com meus avós, que me ensinaram valores para ser uma pessoa idônea, com caráter forte e íntegro.

Hoje, quando busco pessoas com a intenção de negociar ou me associar, procuro sempre identificar aquelas que têm os mesmos valores que eu, que tenham objetivos semelhantes aos que busco. Isso é fundamental para potencializar o relacionamento mútuo e a conquista dos objetivos buscados, sempre da maneira mais ética e benéfica possível.

Se é sucesso sustentável que você procura, então cultive valores positivos. Tenha valores fortes e definidos, seja o mais ético possível, seja fiel aos seus valores e não se deixe corromper pelo caminho.

Princípio de ser autêntico

Você é o maior milagre da natureza, você é ímpar.

Por isso, seja você mesmo.

"O seu 'eu' mais autêntico é a sua alma tornada visível."

- SARAH BAN BREATHNACH

Você é único e foi colocado neste planeta para brilhar e conquistar o seu lugar de destaque no mundo. Você é o maior milagre da natureza, é ímpar. Por isso, seja você mesmo.

Para fazer valer a sua presença neste mundo, é preciso investir em você mesmo, crescer, aperfeiçoar-se a cada dia. É preciso comportar-se com convicção, acreditar em si mesmo, ter certeza de seu potencial, ter uma atitude mental positiva e, acima de tudo, é preciso ser autêntico.

Pouco importa o julgamento dos outros. Tenha sempre em mente simplesmente ser verdadeiro. Essa é a melhor e única forma de agradar ao mundo, mas principalmente de agradar a si mesmo.

No mundo atual, com tantas cobranças e comparações, ser autêntico pode se tornar uma prova bastante dura. Estamos condicionados a atender às solicitações alheias para que nos sintamos aceitos no meio em que vivemos. Mas negar a si mesmo cobra um alto preço. Cria uma ilusão de aceitação e de sucesso que não se mantém quando é colocada à prova.

A "não autenticidade" sempre é desmascarada, e o que antes era aceitação passa então a ser rejeição por parte das pessoas que o cercam, pois a mentira contada não é bem-vista. Seja o que for que você conquistar por meio de uma falsa imagem que crie, o que você conquistou não se sustentará. Somente o que você constrói com sua autenticidade tem a consistência necessária para durar, evoluir e gerar novas conquistas.

Você pode, e em muitos casos até deve, usar o exemplo de pessoas de sucesso como referências para construir o seu próprio caminho para a vitória. Porém, depois de um tempo, tem que assumir a sua própria maneira de ser. Porque imitar alguém por muito tempo faz você se esquecer de quem é, faz com que deixe de ser autêntico. E isso pode pôr tudo a perder.

Ser autêntico é uma qualidade valiosa. É assumir a responsabilidade por aquilo que se é e por tudo o que se faz.

**"Temos que defender aquilo em que acreditamos,
mesmo quando talvez não sejamos populares por isso.
A honestidade começa por sermos nós mesmos,
autênticos e verdadeiros com quem somos e com
o que acreditamos, e isso nem sempre é popular.
Mas isso sempre nos levará a seguir
nossos sonhos e o nosso coração."**

- TABATHA COFFEY

Princípio dos *feedbacks*

A arte de estimular o ato de dar e receber feedbacks.

Falamos com detalhes sobre *feedbacks* quando apresentamos a *Janela de Johari* no início deste livro. Mas sempre é bom lembrar a importância dessas devolutivas, que são fundamentais para o nosso crescimento. É preciso compreender bem o grande valor de pedir, aceitar e também dar *feedbacks*, sejam eles positivos, sejam negativos.

Em nossos relacionamentos, devemos sempre solicitar e aceitar *feedbacks* de tudo e de todos. Mais ainda, precisamos incentivar as pessoas a nos dizer como nos veem e nos percebem. Isso nos permitirá melhorar nossa consciência a respeito de nós mesmos.

Também é importante que demos a nossa contribuição às pessoas com quem nos relacionamos, fornecendo a elas *feedbacks,* contribuindo com a nossa visão sobre elas.

Enfim, o comportamento de dar e buscar *feedbacks* é indispensável para melhorarmos e enxergarmos nossos pontos fracos e fortes. Assim, conseguimos trabalhar para melhorar nossos relacionamentos interpessoais e contribuir para o crescimento de todos os envolvidos.

Porém, é muito importante lembrar sempre que devem ser preestabelecidas regras claras entre as pessoas para a construção dos *feedbacks.* Para que o funcionamento desse processo seja natural e para que não sejam ultrapassados os limites do bom senso e do respeito ao próximo, e sempre visando uma contribuição sincera e verdadeira dentro do grupo, essas trocas de avaliação não devem ser deixadas totalmente livres e reguladas pelo acaso.

Para proteção de todos os envolvidos e para que os resultados dos *feedbacks* sejam efetivamente positivos e construtivos, devem-se respeitar sempre rigorosamente essas regras e as condições preestabelecidas pelo grupo.

A arte de receber e dar *feedbacks* é uma das ferramentas mais importantes para o autoconhecimento, para sabermos nossos defeitos e falhas e também onde estamos acertando. Torna-se um fator de aprimoramento dos nossos relacionamentos. Para que possamos nos aprimorar, é necessário que possamos perceber a diferença existente entre a imagem que as pessoas têm de nós e a nossa própria percepção pessoal.

Uma das grandes dificuldades com o processo de *feedbacks* acontece quando a pessoa não aceita bem os *feedbacks* negativos – isto é, aqueles que não estão dentro do que ela esperava – e perde a oportunidade de ajustar seu rumo, ou fica estagnada em determinado ponto que não é o ideal para o seu crescimento. Não aceitar os *feedbacks* é sempre um grande erro. Por isso, é fundamental aprendermos a lidar com as críticas.

A seguir, listei algumas atitudes que considero fundamentais para quem quer usar os *feedbacks* para potencializar seu crescimento pessoal e profissional, que também podem e devem ser adaptadas para os seus relacionamentos pessoais e o seu aprimoramento como pessoa:

- Participe com frequência das reuniões de seus grupos, colha e dê *feedbacks*.
- Desenvolva-se sempre, participando dos treinamentos da sua empresa.
- Alinhe-se diariamente com seu planejamento do dia, sempre mantendo dentro de sua agenda espaços para dar e receber *feedbacks*.
- A partir dos *feedbacks* recebidos, desenvolva e adquira novas habilidades para superar suas falhas e avançar na direção dos seus objetivos. Lembre-se de que afiar o machado é tão importante quanto saber usá-lo.
- Crie e mantenha um grupo especial de pessoas, no seu trabalho e também na sua vida pessoal, com quem você possa falar mais abertamente, para obter e dar *feedbacks* melhores e mais profundos.

- Deixe as pessoas mais à vontade para falar-lhe sobre você, com liberdade para dizer o que pensam a seu respeito.
- Crie relações de amizade e proponha uma dinâmica que facilite as trocas de *feedbacks*.
- Quando solicitar *feedbacks*, esteja realmente aberto a eles, mesmo que sejam negativos. Pergunte sempre, mas esteja certo de ouvir de verdade as respostas que recebe.
- Nunca fuja de *feedbacks* negativos. Ao contrário, busque por eles.
- Nunca reaja a um *feedback*, nem tente contestá-lo, ou mesmo se explicar. Apenas ouça com atenção, anote o que ouviu e agradeça à pessoa que o deu. Somente depois, em particular, analise o que foi dito e veja o que você pode e deve fazer a esse respeito.
- Mais importante: se apenas uma pessoa lhe der determinado *feedback* e mais ninguém falar a mesma coisa, reflita, veja se faz sentido e decida o que fazer com aquela informação. Agora, se mais de uma pessoa der o mesmo *feedback*, um "*feedback* construtivo"[1], dê atenção, porque pode existir uma verdade nisso. Já que duas ou mais pessoas estão enxergando a mesma coisa em você, isso deve ser um ponto de atenção e de melhoria.

---

[1] *Feedbacks* construtivos" são devolutivas, respostas que aparentemente podem expressar coisas negativas, mas que têm a finalidade de promover uma melhoria. Ou seja, se a pessoa resolver a situação com base nesses *feedbacks*, ela certamente crescerá com isso.

継

PILAR 2

Mudanças comportamentais — ajuste seus comportamentos

Uma vez que o *mindset* da pessoa tenha sido ajustado para levá-la ao seu crescimento, sua escalada rumo ao próximo patamar da vida vai depender então do seu comportamento.

Comportamento tem a ver com a maneira como é o dia a dia da pessoa, a rotina, tem a ver com seus hábitos. E seus comportamentos precisam ser ajustados para o sucesso, para executar as ações que a levem aonde ela quer chegar.

Então, qual é o seu comportamento no dia a dia? Esse comportamento favorece ou dificulta o seu avanço para o topo, na direção do lugar mais alto do pódio? Ou você tem hábitos e ações que o prendem em um nível no máximo intermediário?

O comportamento e o *mindset* caminham juntos. A mudança de *mindset* muda também o comportamento. Mas é preciso estar consciente dessa necessidade de mudança e das ações que são necessárias para fazer acontecer o que você deseja.

Por exemplo, se a crença de uma pessoa quanto ao aprendizado a leva a pensar algo como *"Ah, eu não preciso buscar novos conhecimentos..."*, porque acredita que a escola, ou a faculdade, ou aquele cursinho, já deu o conhecimento de que precisava, ou mesmo porque acha que conhecimento não leva a lugar algum, ela vai ter um comportamento de não estudar, não procurar se aprimorar. Isso tem tudo a ver com um *mindset* inadequado. Ela não vai desenvolver o hábito de ler, de assistir a uma palestra, de fazer cursos, mas vai desenvolver o comportamento negativo de ficar apenas assistindo à tevê, não vai se conectar com pessoas que agregam valor aos seus conhecimentos, vai estar sempre envolvida com pessoas que não potencializam a sua evolução.

Para mudar seu comportamento de modo a abrir seu caminho para o topo, para patamares mais altos na sua vida, é fundamental trabalhar nos pontos a seguir.

Princípio de fazer o que precisa ser feito

Comece. Feito é melhor do que perfeito. Aperfeiçoe fazendo.

Sempre repito uma frase muito conhecida atualmente, que diz o seguinte: *"O feito é melhor do que o perfeito"*. Parece um jargão comum, mas essa frase é muito significativa, e agir com base nela pode gerar toda a diferença na vida das pessoas. Sim, porque muita gente fica só planejando tudo, mas não tira do papel aquele seu grande projeto, não age em busca do seu objetivo, da sua meta, não consegue realizar, porque não se considera preparada o suficiente para fazer o melhor.

Então, não deixe de fazer algo só porque você ainda não chegou ao ponto de estar ótimo. É bom buscar a perfeição, mas não permita que o fato de ainda não tê-la atingido o impeça de fazer algo. Faça o seu melhor, mesmo que não seja perfeito. Mas faça.

Buscar a perfeição antes de agir é apenas uma forma de ficar paralisado, sem ação, sem fazer o que é preciso. Mas existem também muitas outras formas que as pessoas usam para deixar de fazer o que é necessário.

Por exemplo, gosto muito de fazer uma analogia com aquela música que diz *"deixa a vida me levar, vida leva eu"*. A música é bonita, o ritmo é gostoso, mas o significado dessa música não é assim tão interessante para quem quer realizar seus sonhos e atingir grandes objetivos.

Veja bem: *"deixa a vida me levar"*. O que significa isso? Significa que devemos deixar as coisas acontecerem em nossa vida, sem que façamos nada para isso. E isso não é algo positivo, porque temos que ser os protagonistas na nossa vida. Já falei sobre isso antes, quando abordamos o Princípio do Controle. Dissemos claramente que *"você tem que ser o líder do seu próprio destino"* e que é você quem tem que decidir se vai por um caminho ou por outro.

Então é muito importante deixar essa música de lado e dar preferência para outra canção, que diz *"quem sabe faz a hora, não espera acontecer"*. O significado da mensagem, nesse caso, é muito positivo, porque lembramos que temos o domínio, as competências, as habilidades de fazer acontecer. Essa mensagem é própria para quem quer ter o poder de realizar, de fazer, de agir. E fazer naquele exato momento em que é necessário agir, *"sem deixar para depois o que se pode fazer hoje"*.

E tem também aquelas pessoas que gostam de *"empurrar as coisas com a barriga"*. Certa vez, eu estava entre amigos de trabalho em um *happy hour*, e um deles disse, brincando: "Não deixe para amanhã o que você pode fazer depois de amanhã". Estávamos nos divertindo, comemorando, rindo, e ele saiu com essa frase. Parece até que isso não tem maiores consequências, mas o problema é que nossa mente não consegue discernir o que é verdade e o que é fantasia, o que é realidade e o que é apenas um comentário divertido, sem compromisso. E assim vamos incutindo as coisas erradas na nossa mente, formando crenças baseadas em informações que não nos convêm.

Se permitir que entre em sua mente uma ideia como essa de *"deixar para depois de amanhã o que você pode fazer amanhã"*, o que você estará fazendo? Estará protelando, procrastinando, deixando as coisas acontecerem por si, abrindo mão do seu controle sobre o seu destino, sobre os seus objetivos.

Pessoas realizadoras são aquelas que saem do lugar, se movimentam, produzem, agem, estão focadas em fazer algo o tempo todo, em realizar suas atividades e buscar sempre fazer o que precisa ser feito para atingir seus objetivos. Aprendem a administrar bem o tempo que têm para terem mais energia para focar nas coisas que de fato são importantes. Criam uma disciplina mental diária de fazer, de entregar, de realizar. Não param, buscam alternativas, ferramentas, realizando pequenos ou grandes feitos, dia após dia. E têm a certeza de que estão cada vez mais próximas de seus objetivos.

A ação faz vencedores. Enquanto muitos passam uma longa noite sonhando com o sucesso, outros acordam cedo e trabalham duro para alcançá-lo. São esses os vitoriosos. Ação é poder. A ação é extremamente poderosa e pode colocá-lo na rota das grandes realizações. Já no século 19, o filósofo alemão Friedrich Engels falava da potência da ação em nossas vidas: *"Um grama de ação vale uma tonelada de teoria"*. De nada adianta ter muito tempo de dedicação aos estudos se nada daquilo absorvido for colocado em prática.

Não deixe para depois o que você pode fazer agora. Esta é a mensagem: administre melhor o seu tempo focando no que é essencial e prioritário. A grande ação transformadora é fazer o que precisa ser feito, sem protelar, sem procrastinar. Foque a sua meta e coloque energia e intensidade nas ações necessárias para alcançá-la.

Por isso é que digo sempre que *"o princípio de fazer o que precisa ser feito"* transformou a minha vida. E pode transformar a sua.

Princípio da proatividade e da iniciativa

Uma pessoa proativa é, em princípio, empreendedora, tem iniciativa e não espera as coisas acontecerem. Ela as faz acontecerem, se antecipa ao que poderá ser e faz com que seus objetivos se realizem, sempre saindo na frente quando a questão é encontrar soluções. Tem uma visão de futuro bastante clara e se antecipa às mudanças e aos possíveis problemas que poderão surgir.

Pessoas proativas são as principais candidatas ao sucesso. São vencedoras, mantêm seu pensamento constantemente em seu objetivo, em seus sonhos, na realização, na conquista de suas metas.

Ser proativo significa tomar a responsabilidade por sua própria vida e exercitar a habilidade de selecionar sua resposta frente a qualquer estímulo.

A proatividade exige que você seja "agressivo" nas ações que o levam ao seu objetivo, mas entenda que aqui ser agressivo tem a ver com "não ser passivo", ou seja, não esperar que tudo caia do céu. É você quem tem que tornar viável aquilo em que acredita. Fique sempre incomodado com seus resultados e haja sempre de modo a mudá-los para melhor.

Tenha as atitudes corretas: seja determinado, acorde cedo e animado, seja proativo e vá atrás de sua meta. Trabalhe com todo o seu esforço, arduamente, com dedicação.

O profissional proativo sabe que cada erro é uma oportunidade de aprendizado e, portanto, não teme errar. Como disse Stephen Covey, escritor norte-americano, *"A abordagem proativa de um erro é reconhecê-lo instantaneamente, corrigi-lo e aprender com ele"*.

Covey ainda disse: *"Em uma empresa, todos devem ser proativos e fazer tudo o que podem para se ajudarem a permanecer empregados"*. Ou seja, em uma empresa em que pessoas proativas atuam, todos têm maior segurança de seus resultados e da sua permanência no emprego.

Propague para todas as pessoas de sua equipe a necessidade de saírem na frente, de estarem na dianteira, de tomarem as rédeas do seu destino e serem ativas no cumprimento de suas metas. Uma equipe proativa obtém sempre os melhores resultados.

A palestrante e apresentadora de tevê e escritora norte-americana Suze Orman sugere que *"reclassifiquemos nossos problemas atuais, chamando-os de objetivos proativos"*. Essa é a maneira mais proveitosa de visualizar e lidar com situações adversas e as transformar em degraus para elevar nossos resultados a novos patamares.

Para vencer em um mundo tão competitivo como o de hoje, temos de ser proativos. Temos de ter em mente que o nosso trabalho consiste em procurar soluções não convencionais, que nos levem ao que nossos clientes esperam de nós. Essa é a verdadeira fórmula do sucesso.

Você pode ser um vencedor usando a proatividade. Na verdade, é um deles e só precisa se dar conta disso e colocar em ação o seu poder de se antecipar aos problemas e chegar com as soluções antes mesmo que as pessoas percebam que precisam delas.

Seja proativo: pare de apenas sonhar e vá atrás dos seus objetivos. Acorde cedo e trabalhe duro todos os dias, com a visão de quem sabe qual é o caminho a percorrer.

Princípio do trabalhar duro

"Minha pergunta: você prefere trabalhar oito horas por dia por um salário, ou doze horas por dia por um sonho?"

Sempre gostei muito de estudar a história dos povos, em especial daqueles que despontaram no mundo sobressaindo-se sobre os demais. Por isso, estudei a história do Japão, da Alemanha, dos Estados Unidos e de outros países desenvolvidos e encontrei fatos que fazem muito sentido quando se pensa nas grandes conquistas desses países.

Observei que, em todos esses países que hoje são destaques no cenário mundial, existe algo em comum: neles nevava muito! Mas o que isso tem a ver com o progresso e o sucesso deles?

No meu modo de entender, vejo a situação em que – lembrando que esta é apenas a minha interpretação dos fatos, dentro do enfoque do nosso tema, e que não quero fazer disso uma discussão dos fatores históricos envolvidos –, na época em que esses povos dependiam basicamente da agricultura, as pessoas trabalhavam dez, doze, catorze horas por dia, durante o período propício para plantar, cuidar da plantação e fazer a colheita, para que pudessem produzir o bastante para que no inverno tivessem comida suficiente estocada. Trabalhavam muito nessa época porque no inverno não conseguiriam plantar e colher.

Quando chegou a era industrial, esses povos, que já tinham adquirido a cultura, o hábito de trabalhar arduamente muitas horas seguidas e não se ressentiam desse ritmo, aplicaram o mesmo empenho nas fábricas em que foram contratados. E, é claro que, trabalhando doze horas por dia nesse novo contexto, seu volume de produção era enorme, muito maior do que em outros países que não tinham essa cultura. E esses países começaram então a se destacar no cenário mundial.

Sem querer ser crítico sobre se foi assim que as coisas aconteceram ou não, a verdade é que existe uma metáfora nessa história que nos diz que o seu resultado é muito mais expressivo quando você trabalha em uma carga horária maior. Se você trabalha do modo certo e na direção certa e se empenha mais horas trabalhando que o seu vizinho, com certeza seus resultados serão melhores do que os dele.

É claro que temos de analisar um conjunto de outros atributos, além da quantidade de horas trabalhadas. Trabalhar de forma estratégica, planejada, ter um comportamento diferenciado, desenvolver competências, ter o *mindset* expandido, tudo isso é necessário para o sucesso. Mas, sem dúvida alguma, o trabalho intenso é parte importante dessa fórmula.

"Um sonho não se torna realidade por meio de mágica. É preciso suor, determinação e trabalho duro."

- COLIN POWELL

Quando voltei ao Brasil, em 2010, abri minha imobiliária. Todos os meus concorrentes trabalhavam em média oito horas por dia, de segunda a sexta-feira. Cheguei do Japão com o propósito firme de trabalhar doze horas e, em alguns momentos, até catorze horas por dia, de segunda-feira a sábado. Ou seja, trabalhava no mínimo doze horas por dia, seis dias por semana. Então, se você multiplicar quatro horas por seis dias, dá 24 horas a mais por semana. No mês são 96 horas a mais. Com essa carga horária a mais que a concorrência, expandi muito a minha probabilidade de fechar bons negócios. Imagine a diferença que isso faz! Agora, calcule isso em um ano e você vai ver o quanto eu estava à frente dos meus concorrentes.

Eu havia trabalhado no Japão durante quase dez anos, doze horas por dia, de maneira que, quando cheguei ao Brasil, já estava com esse comportamento internalizado e me sentia confortável em seguir essa rotina, ainda mais que, a partir de então, eu estaria trabalhando em um negócio que era meu. E decidi continuar nessa pegada, mantendo esse ritmo durante mais cinco anos. Estabeleci o seguinte: trabalhar doze horas por dia, seis dias por semana, durante cinco anos. Foi algo que chamei de "Princípio dos 12H – 6D – 5A".

Quero deixar aqui um desafio para você. Sugiro que aplique isso na sua vida, como experiência. Se você achar que é muito tempo fazer durante cinco anos, experimente fazer por apenas um ano de sua vida. Em um ano você já vai notar a diferença que isso vai fazer. Tenho certeza de que você vai ter resultados incríveis.

Mas, para ser justo, volto a dizer que é claro que esse trabalho intenso precisa estar associado a um conjunto de outros valores e outras atividades estrategicamente estabelecidas por você. Senão você corre o risco de desperdiçar seu tempo e esforço. Sem dúvida, seus resultados serão ainda melhores se você unir isso ao conjunto de fatores descritos nos três pilares que compõem os princípios da filosofia *turnaround*, do meu Modelo de Transformação.

O *hard work*, como gosto de chamar, o trabalhar duro, tem de ter um sentido de direção, tem de ser complementado por outros elementos essenciais ao sucesso. Não é só pegar numa enxada ou assentar tijolos sem ter um plano da obra que você está construindo. Quando falo em trabalhar duro, falo em se dedicar de forma intensa, colocar bastante energia no que você faz, trabalhar numa carga horária maior em algum momento crítico de sua vida, mas sempre apoiando seu esforço em um conjunto de fatores que o levem para a vitória.

E o *hard work* vai exigir outra coisa de você: só vai ser possível entrar confortavelmente nessa jornada de trabalhar forte se você amar o que faz. Então, se você não ama o que faz, aprenda a amar.

Antigamente, era comum ouvir alguém dizendo *"faça o que você ama, faça o que você gosta"*. Hoje a regra é aprender a gostar do que você faz. Não dá mais para escolher o que a gente ama como negócio sem nem mesmo ter experimentado. Nem todo mundo consegue começar a empreender já sendo apaixonado por ser um empreendedor. Quem consegue fazer isso merece parabéns! Mas não dá para fazer disso uma regra.

Quando entrei no mercado imobiliário, eu não era apaixonado por esse ramo de negócios. Eu nem mesmo sabia o que era isso em que estava me metendo, então como poderia dizer que gostava desse ramo? Mas eu me dediquei, me envolvi, me doei para aquilo que fazia, aprendi muito e, aos poucos, fui percebendo a beleza de estar ali, no dia a dia dos meus negócios. Passei a amar o que fazia, de tal maneira que não tenho pretensão alguma de sair do mercado imobiliário. Eu amo esse ramo de negócios.

Quando você ama seus negócios, sua vida vai ser muito mais fácil, a rotina vai ser mais leve, os resultados serão buscados com mais prazer e assertividade. Por isso, se você está em uma profissão em que ganha dinheiro, ou mesmo se está em um negócio que criou por uma oportunidade, passe a amar o que você faz.

Quando o seu coração não está naquilo que você faz, não adianta estar fisicamente presente, porque a sua cabeça também vai estar em outro lugar. Você vai estar sempre pensando em outra coisa.

Você conhece alguma pessoa que abre um negócio já pensando em abrir outro? Pois é, nenhum deles vai dar certo. Porque nada funciona sem dedicação, empenho, envolvimento, trabalho duro, paixão pelo que se faz. Não é assim que as coisas funcionam. Depois a pessoa vai dizer que *"o negócio não deu certo!"*.

Não existe negócio que não dá certo. É o *"como se faz"* e o *"por quem está fazendo"* que dirão quais serão os seus resultados. Se você perguntar para dez pessoas o que dá mais dinheiro, vender banana ou vender ouro, a maioria das pessoas vai dizer que vender ouro dá mais dinheiro. Mas tem gente vendendo banana e ganhando mais dinheiro do que outros que também vendem banana. E tem gente vendendo banana e ganhando mais dinheiro do que outros que vendem ouro ou mesmo carros importados ou mansões.

Outro ponto que reforça os resultados de quem trabalha duro é definido como sendo o fator *"quem está assumindo a liderança do negócio"*. Quem está à frente daquele negócio? Quem dá a direção? Quem está no leme daquela empresa, daquele empreendimento? Existem histórias de pessoas que eram pobres e criaram impérios e também de grandes fortunas que foram colocadas a perder quando mudaram de liderança. Porque quem está à frente dos negócios faz toda a diferença no desempenho final, seja qual for o empreendimento em que se está envolvido.

Então é você que tem de estar à frente dos seus negócios e, mais ainda, é a maneira como você está fazendo a gestão do seu negócio ou da sua profissão que vai determinar o tamanho do seu sucesso, vai definir se você vai fazer mais ou menos dinheiro a partir daí.

Feitas essas considerações, voltemos ao ponto central deste nosso tópico: use a fórmula 12H – 6D – 5A: experimente trabalhar doze horas por dia, seis dias por semana, durante cinco anos, fazendo um trabalho atrelado a um conjunto de fatores que favoreçam as suas conquistas, e veja a diferença nos seus resultados.

O trabalho é essencial para o sucesso. Afinal, como diz uma conhecida frase, "*O sucesso* só vem antes do trabalho no dicionário".

Princípio de ser melhor a cada dia

A ideia aqui, por trás deste princípio, é "*hoje ser melhor do que ontem e amanhã ser melhor do que hoje*". É o Princípio Kaizen, que surgiu no Japão e visa à melhoria gradual e continuada, tanto de processos produtivos e sistemas quanto de pessoas.

A essência desse pensamento incorpora a melhoria constante porque, ao aplicá-la, você sempre vai estar empenhado em crescer, em desenvolver--se, em buscar novas ferramentas para fazer melhor o que faz.

Morei durante muito tempo no Japão, e esse país é reconhecido mundialmente pela excelência e qualidade. Foi lá que aprendi sobre Kaizen, e isso trouxe uma melhora significativa na minha vida.

Certa vez, conversando com um amigo sobre esse assunto, ele disse: "*Imagine se a gente incorporar apenas uma nova habilidade a cada ano. Calcule os resultados disso na nossa vida*".

Sem dúvida, você pode se empenhar; por exemplo, em um ano se aperfeiçoar em marketing, no outro ano em vendas, depois em empreender, administrar, ou estudar finanças. A cada ano você incorpora um novo conhecimento e expande a sua visão de mundo. Como você imagina que vai estar dentro de dez anos?

Se você quer se desenvolver como pessoa ou como profissional, este é um excelente plano de ação: desenvolver uma nova competência a cada ano vai fazer de você uma pessoa e um profissional muito melhor.

Estabeleça o propósito de sempre se aperfeiçoar. Por exemplo, leia seis, nove, doze livros ao ano. Com as novas tecnologias de hoje, se você dirige muito, viaja muito de carro, pode optar por ouvir audiolivros, o que vai fazê-lo economizar muito tempo. Com isso, você vai conseguir absorver conteúdo em todo lugar, a todo momento.

Assista a palestras, participe de workshops, de treinamentos, assista a programas de bom conteúdo, acompanhe os bons canais de vídeos na internet. Tudo isso vai ajudar a chegar mais rápido aonde você quer. Tudo isso vai agregar valor e conhecimento à sua vida pessoal e profissional.

Muita gente termina a faculdade e acha que isso é o suficiente. Aí é que está o problema. É preciso levar em conta que, depois de dois ou três anos após a saída da faculdade, a pessoa vai lembrar-se de apenas 50% do que aprendeu; e depois de quatro ou cinco anos, não vai se lembrar de mais nada.

É preciso manter-se em movimento, aprendendo, descobrindo novos conhecimentos e ferramentas, porque o mundo é dinâmico. A informação que você tem se torna obsoleta muito rapidamente nos dias atuais. Você tem que continuar estudando, porque *"não adianta ter todas as respostas, se as perguntas já mudaram"*.

Quando você para de evoluir, seu conhecimento se perde, e suas ações se tornam menos eficazes.

Em resumo, busque a melhoria contínua, aperfeiçoe seus conhecimentos e suas técnicas, melhore seus resultados todos os dias. Desenvolva-se constantemente. Seja um eterno inconformado e busque sempre mais do que aquilo que você já conquistou e se prepare adequadamente para conquistar mais. Seja melhor hoje do que foi ontem; seja melhor amanhã do que está sendo hoje.

Princípio do conhecimento

Como disse Benjamin Franklin, *"Investir em conhecimento rende sempre os melhores juros"*, de modo que adquirir conhecimento é sempre muito importante e é uma opção bastante inteligente.

Antigamente, o volume de informações disponíveis dobrava a cada dez anos. Hoje dobra a cada ano, e com acesso bastante simplificado, ao alcance dos dedos. Por isso, obter informações é algo relativamente simples atualmente. Porém, somente a informação transformada em conhecimento tem valor bastante para mudar a sua vida.

Estude muito, leia, busque sempre aperfeiçoar-se, seja um *expert* em sua área, em seus negócios; esteja sempre atualizado. Seja um exímio buscador da boa informação e a transforme em conhecimento agregador.

O conhecimento é o bem mais precioso e mais seguro que você pode ter. Você pode ter um bem material, como uma casa ou carro, e no ano seguinte não possuí-lo mais, porque precisou vender. Pode ter uma empresa ou um negócio lucrativo e, por algum motivo, fracassar, e sua empresa falir.

Mas com o conhecimento isso não acontece. Nunca ninguém vai tirar de você aquilo que aprendeu, o seu conhecimento, aquilo que você sabe. Ninguém vai tirar isso da sua mente, muito menos fazê-lo "desaprender".

O conhecimento é uma alavanca para qualquer situação em que você se encontre e na qual queira evoluir.

Joe Girard, considerado pelo livro *Guinness Book* como o maior vendedor de carros do mundo, em seu livro *Como vender qualquer coisa a qualquer um*, fala da importância de termos uma caixa de ferramentas.

O que significa isso? Suponha que você tenha uma caixa de ferramentas em sua casa, mas dentro dela só tenha um martelo. Você consegue fazer tudo com um martelo? Por exemplo, cortar madeira, consertar um computador, ou pintar uma parede? Provavelmente não. Mas se tiver uma segunda ferramenta, uma terceira, uma quarta, então você vai conseguir fazer muito mais coisas.

Com a nossa mente é a mesma coisa. Quanto mais ferramentas eu coloco nela, quanto mais conhecimentos adquiro, quanto mais informações úteis coleto, maiores possibilidades vou ter de resolver qualquer situação que apareça.

O conhecimento é transformador. Ele é toda a base inicial dos nossos processos de transformação.

Invista em conhecimento e você também terá a sua grande virada, a arrancada que transformará a sua vida e o colocará na direção do sucesso.

Princípio de andar a milha extra

Há dois erros que indivíduos comuns cometem no caminho da busca pelo sucesso: *não começar ou não completar o caminho*. E ainda existem aquelas pessoas que fazem apenas o que foi pedido, só fazem o que for solicitado, ou mesmo não fazem direito nem o que é solicitado.

É claro que sucesso nenhum é construído dessa maneira. É preciso fazer mais do que é esperado de nós se quisermos ganhar destaque, seja no mundo profissional, seja na vida pessoal. É preciso andar *sempre a milha extra!*

Andar uma milha extra é um dos princípios propostos por Napoleon Hill, escritor norte-americano, como comportamento desejável para quem quer crescer na vida. Significa basicamente que, para vencer, você precisa prestar mais e melhores serviços e fazer isso com uma atitude mental positiva. Esse é o princípio mágico do progresso pessoal.

Napoleon Hill criou a fórmula *QQAM* para explicar como se faz para *"andar a milha extra": **Q**ualidade do serviço que você presta + **Q**uantidade de serviço que você presta + **A**titude **M**ental com que você presta seus serviços.* Isso determina o espaço que você ocupa na profissão que escolheu e a compensação que consegue pelo seu serviço, isto é, define o seu sucesso naquilo que você faz.

Pessoas excepcionalmente bem-sucedidas aplicam de maneira criteriosa e rigorosa a fórmula *QQAM,* sempre tendo em mente o objetivo de *"andar a milha extra".*

O escritor brasileiro Eugênio Mussak, no livro *Metacompetência,* reforça essa ideia, dizendo que temos de oferecer algo mais, superar expectativas, ser metacompetentes, se quisermos ter sucesso.

A ideia da *"milha extra"* coloca essa questão da dedicação ao que se faz em foco. Pense um pouco e veja como você se identifica com estas questões:

- Você trabalha além do horário estabelecido?
- Você entrega mais do que foi solicitado, mais do que de fato foi definido para você fazer?
- O que você faz de diferente, de extra, no seu dia a dia de trabalho, para seu cliente ou para seu colaborador?

- Você caminha a milha extra, para ser merecedor de ter um cargo e um salário melhores na empresa?
- Quais são os seus comportamentos no seu trabalho, para seu cliente ou para seu colaborador?
- Mesmo que você seja um funcionário, você trabalha como se fosse o dono da empresa?

Lembra-se daquela história que contei quando falamos do Princípio da Meritocracia? O funcionário Pedro reclamava que ganhava menos que José, mas não percebia que se limitava a fazer tão somente aquilo que lhe era pedido, e muitas vezes mal feito. De sua parte, José sempre fazia muito mais do que era esperado dele. Ele fazia questão de "andar a milha extra". Por isso é que o seu salário era maior que o de Pedro, muito embora tivesse menos tempo de trabalho na empresa.

Estes são alguns dos benefícios de seguir o hábito de andar a milha extra, que Napoleon Hill destaca:

- Você chamará a atenção daqueles que podem lhe oferecer oportunidades para ser promovido a uma circunstância melhor;
- Você se tornará indispensável na ocupação que escolheu ou na sua profissão;
- Você será beneficiado pelo contraste entre o que faz – e os seus resultados – e o que os outros fazem. Afinal, eles estarão se limitando a fazer somente o trivial;
- Você terá maior facilidade de controlar o hábito da procrastinação, principal fator que leva aos fracassos.

Uma das grandes recompensas que andar a milha extra lhe dará será colocá-lo em condições privilegiadas para pedir uma promoção, para candidatar-se a uma melhor situação na vida ou conseguir um bom aumento de salário. Sim, porque quando alguém apenas faz aquilo pelo qual foi pago, já está recebendo por tudo que foi contratado e não tem como pedir mais.

Construa o hábito de fazer mais do que a média faz. Comece e termine além do que é esperado. Entregue sempre mais do que é solicitado. O profissional de sucesso é aquele que caminha a milha extra. É isso que vai fazê-lo voar de verdade!

Princípio da resiliência

A arte de superar obstáculos e suportar dores.

Resiliência significa que o indivíduo tem que ter a habilidade de superar obstáculos, suportar as dores, resistir às adversidades. E continuar, mesmo depois de um fracasso, depois de uma perda.

Um dos grandes fatores que levam ao sucesso é a resiliência, isto é, a capacidade do indivíduo de fazer uma rápida adaptação às novas circunstâncias, ou de recuperação diante de um erro ou de uma situação contrária ao que ele busca.

Podemos dizer também que resiliência é a nossa capacidade de nos recobrarmos ou de nos adaptarmos à "má sorte" ou às mudanças. Ser resiliente é ter a habilidade de superar obstáculos, resistir e lidar com a dor e reagir de modo positivo em situações adversas.

Certa vez, participei de um seminário com o palestrante e escritor canadense Brian Tracy, considerado um dos maiores *coaches* do mundo. Na ocasião, ele disse que era *coach* de atletas de alta performance, e que um deles disputava o triátlon, uma prova esportiva que une três modalidades diferentes – ciclismo, natação e corrida – que devem ser realizadas de modo ininterrupto. Mais exatamente, aquele atleta era o que mais vezes tinha sido campeão no *Ironman* disputado no Havaí, uma modalidade de triátlon de longas distâncias, que exige muito dos atletas em termos de preparo físico e resistência para completar a prova.

Brian disse que, certa vez, perguntou àquele atleta qual era o segredo para que ele vencesse tantas vezes aquela prova. E ele respondeu de forma muito simples: *"Enquanto muitos desistem no meio do caminho, eu continuo suportando a dor. Administro minha dor e sigo em frente"*.

O que isso tem a ver com os negócios, com o fato de você atingir o sucesso? É simples: em qualquer empreitada, no meio do caminho você vai encontrar muitos obstáculos e passar por eles muitas vezes; vai doer muito. Fracassar dói, não conseguir superar um obstáculo dói, não ter resultado imediato traz dor, errar, perder, fracassar, gastar tempo e energia e não ver resultados, tudo isso dói. Por isso, as pessoas que conseguem chegar ao topo da escalada são aquelas que conseguem resistir a essa dor. As pessoas que vencem são as que, mesmo à frente dessas adversidades, conseguem continuar, seguir em frente.

Existe um pensamento em inglês que expressa bem essa ideia: *"No pain, no gain"*, que significa "sem dor, sem ganho". Ou seja, tudo o que você quer atingir, seja um bom estado físico, um bom estado financeiro, seja qualquer outra coisa que você queira conquistar na vida, vai envolver algum tipo de dor, vai exigir sacrifícios. E você tem que estar preparado para suportar essa dor. Ou seja, é preciso ser resiliente.

O que mais acontece no dia a dia é presenciarmos as pessoas desistirem de seus sonhos por qualquer motivo pequeno, fútil, banal. Elas resolvem empreender, mas se no primeiro ano não der dinheiro, elas desistem e ainda colocam a culpa pelo seu fracasso na economia, nos outros, no governo, e assim por diante.

Se o indivíduo trabalha em uma empresa e não consegue subir na carreira, não consegue ganhar dinheiro suficiente, ele alega que o problema está no patrão, ou na empresa. E então muda de emprego.

As pessoas são muito imediatistas, não são resilientes, não entendem que não existe a fórmula mágica do resultado rápido.

O que estou trazendo para você neste livro é um conjunto de atitudes, ações e estratégias ligado aos nossos três pilares do sucesso – *mindset expandido, mudanças comportamentais e acúmulo de competências* – que você vai ter de aplicar com constância e persistência, mas que ainda assim vai exigir tempo para que os resultados apareçam. E também vai exigir que você seja resiliente.

Pode mesmo demorar vários anos para você conquistar o que deseja, assim como demorou para mim. Para algumas pessoas, o resultado virá mais rápido; porém, isso vai depender muito de um conjunto de situações e cenários que podem estar ligados ao tipo de negócio que elas desenvolvem e a determinadas competências que elas expandiram e usaram de maneira excepcional.

O importante é compreender e aceitar que as coisas não vão acontecer da noite para o dia. Quando falamos em resiliência, estamos dizendo isto: saber que vai levar tempo, que vai ter pedra no caminho, vai ter obstáculos, vão existir dores, mas você precisará ter essa habilidade de lidar com todo esse cenário, todo esse estresse, durante o tempo necessário para que o seu sucesso aconteça.

Uma grande ajuda para aumentar a sua resiliência é ter em mente que "tudo passa". Seja bom, seja ruim, uma hora vai passar. Se você hoje está num momento de fracasso, isso vai passar. Se você está num momento maravilhoso de vitórias na sua vida, isso também vai passar. Não existe nada perene, contínuo, nada é para sempre. Você nunca ficará permanentemente em determinado estado, em uma única situação. A vida não permite a estagnação. Ela vai sempre lhe cobrar evolução.

Veja um exemplo disso na *Revista Forbes*, que publica regularmente a lista dos homens mais ricos do mundo. Todo ano surgem mudanças: quem estava no topo da lista passa para terceiro, quem estava em terceiro foi para décimo. E gente que nem aparecia na lista pode surgir, de repente, entre os mais ricos do planeta. O *Guinness Book* também dá exemplos de que as coisas mudam, anunciando que novos recordes são quebrados todos os dias.

Então nada é permanente nesta vida. Quando você entende isso, muda seu *mindset* e se torna mais resiliente. Então é possível entender que dores virão e você vai ter de suportá-las, obstáculos virão e você vai ter de superá-los e, mesmo assim, terá de aprimorar essa habilidade de resistir e lidar com a dor e com as situações adversas e reagir de forma positiva diante disso.

As pessoas que não administram bem essas oscilações e esses *feedbacks* negativos que o mundo nos dá acabam desistindo de seus sonhos, mudando de emprego, achando que estão sendo prejudicadas pela política, mercado, empresa, patrão. Ficam estagnadas em um ponto da vida, sem conseguir realizar suas metas e seus propósitos.

É fundamental, em especial no mundo dos negócios, resistir à pressão de situações adversas, como choques, estresse, eventos traumáticos, sem entrar em um estado de desequilíbrio psicológico, emocional ou físico. Assim, ser resiliente favorece o indivíduo para encontrar soluções estratégicas a fim de enfrentar e superar as adversidades.

Nas organizações, a resiliência está muito ligada a tomadas de decisões em momentos em que nos deparamos com um contexto adverso. Essas decisões, tomadas corretamente, nos propiciam forças e estratégias para enfrentar a adversidade.

Ser resiliente faz toda a diferença. As dezenas de pessoas que já entrevistei, aquelas de sucesso, que sempre uso como modelos para construir a minha carreira e os meus negócios, são extremamente resilientes.

Princípio da persistência

Não basta bater à porta, é preciso bater até abri-la.

"Se você bater por tempo suficiente,
ou chamar o suficiente no portão,
pode ter certeza de que alguém vai acabar abrindo."
- HENRY WADSWORTH LONGFELLOW

Costumo dizer que levei vinte anos para ser bem-sucedido "da noite para o dia". Então, posso dizer com certeza que *"nada acontece da noite para o dia"*. Por isso, cultive a persistência, insista no seu objetivo até alcançar êxito. Não basta apenas bater à porta se você quiser entrar. É preciso bater até que alguém a abra.

A persistência é uma qualidade valorizada, porque qualifica uma pessoa determinada a trabalhar para conquistar suas metas, alguém que continua com firmeza na rota do sucesso. Agir com persistência é não desistir daquilo que você busca, não importam as críticas ou as negativas que recebe.

Thomas Edison, inventor da lâmpada e um dos precursores da era tecnológica no século 20, afirmou: *"Nossa maior fraqueza está em desistir. O caminho mais certo de vencer é tentar mais uma vez". Desistir jamais.*

Anos mais tarde, o cantor e compositor Raul Seixas também alertou: *"Tente! E não diga que a vitória está perdida. Se é de batalhas que se vive a vida, tente outra vez".*

Persistir é tentar outra vez... E outra, e mais outra... Até conseguir.

Então, antes de prosseguir com a leitura, pense um pouco e responda a estas perguntas:

- O que é que você está pensando fazer da sua vida?
- Qual é o seu propósito?
- Qual é a sua missão?
- Você sabe que um dia não vai estar mais aqui. Então, qual é o legado que você quer deixar?
- Você seria capaz de sair desta vida sem deixar uma marca positiva de que passou por aqui?
- Você vai persistir naquilo que sabe que veio fazer neste mundo ou vai desistir de tudo porque estão surgindo muitas dificuldades, muitos desafios?

Não espere que o mundo mude, mas provoque em você mesmo as mudanças que quer ver acontecer na sua vida. Seja o seu próprio herói! E lembre-se sempre de que, como disse Christopher Reeve, ator que interpretou o *Super-Homem* no cinema: *"Um herói é um indivíduo comum que encontra a força para perseverar e resistir, apesar dos obstáculos devastadores"*.

O caminho mais certo para a vitória é sempre tentar mais uma vez. Se você ainda não chegou ao seu destino, então não pode parar. Avance. Faça o que precisa ser feito agora. Persista, busque, ouse, crie.

"O sucesso parece ser, em grande parte, uma questão de persistir quando os outros desistiram."

- WILLIAM FEATHER

Chegou a hora da mudança, e você precisa assumir imediatamente o controle do seu destino, porque ele é só seu, e é você quem deve conduzi-lo. É hora de deixar de ser coadjuvante na história da sua vida e passar a ser o protagonista, afinal, esse é um direito e um dever seu. Quem costuma deixar o barco da vida seguir por si só pode se perder nas correntezas do fracasso.

O que vai ser dos seus sonhos? O que você vai fazer por eles? Vai deixar a realização deles entregue ao acaso? É claro que não. Nas suas mãos está o poder de realizá-los.

Mire o resultado que você busca, foque no que tem de fazer, esteja determinado a não parar, a avançar sempre. Persista, não desista jamais. Desistir é para os fracos. A maior demonstração de fortaleza é a persistência na busca de seus ideais.

"É graça divina começar bem.
Graça maior persistir na caminhada certa.
Mas graça das graças é não desistir nunca."
- DOM HÉLDER CÂMARA

Vá! Faça! Conquiste! Comemore sempre suas vitórias, sejam elas pequenas, sejam grandes. Insista, persista, nunca desista. Agora é a hora do seu *turnaround.*

Princípio das conexões

Crie conexões, redes de contato, faça *networking*. É muito importante ter uma rede de contatos e parceiros que vão potencializar e contribuir para a chegada ao seu objetivo. Relacionar-se com pessoas estratégicas dentro do escopo dos seus projetos é um dos melhores facilitadores para o seu sucesso.

Crie conexões estratégicas, tenha um grupo de relacionamentos que vai agregar valor à sua vida, à sua jornada, à sua busca pelos resultados expressivos que você quer conquistar.

Existe um dito muito popular que diz que é o seu "QI" que determina o seu resultado, em que "QI" significa "Quem Indica". Brincadeiras à parte, no final das contas, a verdade é que é muito importante ter "quem indica" o novo emprego que você vai ter, a nova parceria que você vai construir, um novo recurso que você vai buscar. Ter pessoas que facilitam a sua jornada sempre é muito interessante para que você chegue aos melhores resultados em menos tempo.

Boas conexões também são importantes para definir quem você vai ser, o que vai conquistar e como vai fazer isso, como você se comporta e com que determinação segue em direção ao seu sucesso. Afinal, não é à toa que existe um ditado muito popular que afirma: *"Diga-me com quem andas e direi quem tu és"*.

O escritor e palestrante norte-americano Jim Rohn consagrou essa mesma ideia, dizendo-a de uma forma mais voltada para o mundo dos negócios: *"Nós somos a média das cinco pessoas com quem mais passamos o tempo"*.

Isso é natural, não há nada de errado nisso. Somos influenciáveis, e as influências estão presentes em nosso dia a dia, mesmo sem as percebermos. O grande segredo aqui é saber claramente o que você quer para sua vida e procurar cercar-se de pessoas cujos comportamentos e modo de ser lhe facilitarão chegar aos seus objetivos.

Amplie suas conexões, agregando ao seu convívio as pessoas certas. O acesso a novas pessoas potencialmente favoráveis ao seu sucesso e à ampliação de sua rede de contatos com as pessoas mais adequadas aos seus objetivos não é tão complicado quanto pode parecer.

Existe um estudo científico feito nos Estados Unidos que deu origem a uma ideia que se tornou muito popular: a teoria dos seis graus de separação. Essa teoria diz que, no mundo, são necessários no máximo seis laços de amizade para que duas pessoas quaisquer estejam ligadas.

Uma vez que você está, no máximo, "a seis contatos de qualquer pessoa", fica muito mais fácil chegar a qualquer indivíduo que possa favorecer a sua jornada rumo ao sucesso. Qualquer nome em que pensar, você pode agregá-lo à sua rede de contatos.

Você pode fazer esse acesso às pessoas de seu interesse de modo proposital, selecionando aquelas que você deseja conhecer e buscando, em sua rede de relacionamentos, quais são os contatos que o levarão a atingir esse objetivo. Porém, é importante reparar como esse processo também acontece naturalmente em sua vida: você quer conhecer, por exemplo, o Alexandre, mas só conhece o João. E o João o apresenta a Maria, e esta o coloca em contato com Pedro, que é amigo pessoal de Alexandre. Daí é apenas um passo para em breve você fazer contato e falar com o Alexandre.

Tenha uma rede de contatos que agregue muito valor à sua vida. Em algum momento você vai acessar essa rede de contatos em busca de uma parceria, de uma indicação, de criar um negócio juntos. Dessa forma, seus resultados virão muito mais rapidamente.

Outro ponto fundamental que deve ser levado em consideração é o que eu chamo de teoria da reciprocidade. Quero dizer com isso que você não deve ser aquela pessoa que apenas pede alguma coisa. É preciso chegar aos outros com a intenção clara e verdadeira de contribuir. Primeiro doe, contribua, ajude. Depois, com toda certeza, você irá receber muito.

Seja educado, seja cortês, tenha educação e respeito, chame a pessoa pelo nome, faça elogios sinceros. Ajude as pessoas, faça favores, dê presentes. Na cultura japonesa, por exemplo, costuma-se levar um presente para a pessoa na primeira vez em que se faz uma visita a ela.

Em resumo, crie boas conexões e bons relacionamentos e se lembre sempre de que você precisa doar e contribuir antes de pedir alguma coisa. Quanto mais você doa, mais ajuda e contribui, mais o universo lhe dá em troca.

Em termos de relacionamentos e conexões pessoais e profissionais, vale sempre lembrar o que disse o escritor Antoine de Saint-Exupéry, no livro *O pequeno príncipe*: *"Tu te tornas eternamente responsável por aquilo que cativas"*.

Princípio do posicionamento

Existe uma frase bastante conhecida que diz: *"Se você quer estar com grandes pessoas, deve ser notado como uma grande pessoa"*.

Isso significa que a maneira como você se posiciona, a sua postura e as suas atitudes são fundamentais para que você seja aceito e respeitado entre as pessoas que realmente valem a pena você ter por perto.

Então qual é o seu posicionamento? Como você é visto nos meios por onde circula?

Para estar entre grandes pessoas, você tem que cuidar da maneira como se posiciona profissionalmente, desde o início, desde os primeiros contatos. Afinal, existe aquele ditado, muito verdadeiro, que diz: *"Você só tem uma chance de causar uma primeira boa impressão"*. Você vai ser percebido nos primeiros segundos de contato com uma pessoa. Por isso, prepare-se sempre muito bem para posicionar-se de forma que favoreça os bons relacionamentos que você procura.

Então pense um pouco: qual é a impressão que você deixa nas pessoas? Passa uma ideia de alguém forte, impactante, de uma pessoa que tem empatia, é amigável e solícita? Ou deixa uma imagem de arrogância, prepotência e ignorância?

É importante entender que ter um posicionamento grandioso não tem nada a ver com ter dinheiro. Mesmo muito antes de ter sucesso e estar bem financeiramente, eu já me conectava com pessoas grandiosas e era muito bem aceito entre elas, porque me alinhava com elas, me comportava como elas. E a maneira como você se comporta é muito importante nesse caso.

A forma como você se posiciona está atrelada a um conjunto de fatores e comportamentos. Saber se relacionar, manter uma rede de contato em que você não seja simplesmente aquela pessoa que pede sempre, mas a que contribui sempre com todos, interessar-se pelas pessoas, ter claro o que você busca, pedir, aceitar e dar *feedbacks,* por exemplo, são elementos essenciais.

Você entendeu que é importante sempre se posicionar de maneira clara. Mas talvez algumas questões ainda estejam incomodando em sua mente: como é que eu me posiciono? Qual é a maneira correta de me posicionar?

Isso vai depender muito daquilo que você quer realizar na sua vida, da maneira como você quer marcar a sua presença nos meios em que vive.

Se você quer ser reconhecido como uma pessoa resiliente e forte, basta que você passe a agir dessa maneira em todo lugar e a todo momento. Tenha isso claro para você. Lembre-se sempre dos momentos específicos em que você usou essa competência em sua vida e procure repetir suas ações nessa ocasião.

Se você quer se posicionar como um bom vendedor, incorpore as características apresentadas por um ótimo vendedor e mantenha isso como parte integrante de seu comportamento no dia a dia.

Definir o seu modo de ser no seu mercado depende basicamente de uma decisão sua e da manutenção de comportamentos compatíveis com essa decisão. Depois é continuar em frente, agindo de acordo com o que você quer ter na vida. Também vale aquela ideia de que *"o caminho se faz enquanto se caminha"*. Ou seja, avance sempre fortalecendo as ações e posturas com que você quer ser reconhecido, e o seu posicionamento se estabelecerá.

Cuide muito bem do modo como você é reconhecido no seu mercado. Isso irá se tornar uma excelente alavanca para o seu sucesso.

Princípio de viver intensamente a vida e curtir a caminhada

Aproveite cada momento, celebre sempre. Faça tudo o que você tem vontade de fazer, é claro, sem prejudicar ninguém. Nunca adie a sua vida nem perca oportunidades de desfrutar de cada momento. Lembre-se de que você só tem uma vida e que ela precisa ser bem vivida.

Conforme já contei para você, morei vários anos no Japão e reparei que muitas pessoas que conheci por lá não viviam de verdade o presente. Os brasileiros que saíram do Brasil e foram para lá sempre tinham em mente conquistar uma vida melhor para quando voltassem para o seu país.

Algumas pessoas ficavam no Japão durante cinco, dez, quinze, vinte anos ou mais, trabalhando e juntando dinheiro. Mas viviam de uma forma muito precária, humilde, regrada, gastando o mínimo possível e não desfrutando de nada do que aquele país tão rico lhes oferecia. Comiam apenas macarrão instantâneo, não tinham diversão, não tinham vida social, não tinham lazer, não tinham qualidade de vida. Tudo para poder guardar dinheiro e voltar para o Brasil e aqui ter um "futuro melhor".

Aquelas pessoas sacrificavam o presente para colher no futuro. Apostavam em um futuro melhor na volta ao Brasil e não apreciavam aqueles momentos tão preciosos que estavam tendo naquele país. Passavam todo o tempo vivendo de maneira bastante difícil e sem brilho, olhando apenas para o futuro.

A grande decepção era que elas juntavam algum dinheiro e voltavam para o Brasil, montavam um negócio, aplicavam o dinheiro economizado durante tantos anos e, depois de um ou dois anos, por algum motivo – como opção por investimentos errados, falta de planejamento, de conhecimento, falha de estratégia ou erro de administração –, arriscando fazer negócios para os quais não estavam preparadas, perdiam todo o capital que conquistaram com tanto trabalho duro. A partir daí, amargavam o enfrentamento de problemas e situações difíceis, que não lhes permitiam viver bem, como era em seus sonhos.

O que quero dizer aqui, de modo bem claro, é que aquelas pessoas não viveram seu presente, pensando em viver melhor o futuro. Mas o mais triste de tudo isso é que elas não desfrutaram de nenhum momento de sua jornada. Essas pessoas não aproveitavam o presente, não viveram o presente na época em que estavam no Japão, e não conseguiram viver o futuro com que sonhavam, com uma vida boa e cheia de farturas, no retorno ao Brasil.

Certa vez, quando eu trabalhava no Japão, meu chefe me disse que as pessoas não entendem que existe algo que não conseguimos recuperar nesta vida: o tempo. Ele é a única coisa que passa, e não podemos fazer nada quanto a isso. Não importa como você o use, o tempo vai passar.

Nós conseguimos recuperar dinheiro perdido, um bem que se foi, resgatar qualquer outra coisa desse tipo, mas não conseguimos recuperar o tempo que se foi.

É muito importante entender que temos de viver e desfrutar da nossa caminhada. Não basta simplesmente chegar ao topo da montanha, deve-se contemplar toda a escalada, apreciar a paisagem enquanto caminha, viver cada detalhe da nossa jornada.

Imagine que o seu médico lhe dissesse que você só tem um dia de vida. Como você viveria esse seu único dia? Com toda a certeza, iria querer viver intensamente, aproveitar cada segundo do seu tempo.

Então por que não aproveitar cada momento da sua vida agora, mesmo sem ter esse prognóstico de morrer tão logo? Afinal de contas, ninguém sabe mesmo quanto tempo nos resta nesta vida. Por que não viver intensamente toda essa nossa caminhada, passo a passo, momento a momento, com prazer e desfrutando de cada acontecimento em nossa vida?

Na nossa caminhada, a todo momento vamos encontrar pedras, desafios e obstáculos. Mas isso não significa que temos de viver amargamente. Não significa que a gente tenha de viver com rancor e mau humor e deixar de aproveitar e viver com prazer cada momento.

Quem vive de bem com a vida atrai a felicidade, melhores parceiros e melhores negócios. Enriquece, mas não apenas de modo material: experimenta a riqueza mais completa, que vem de uma vida muito bem vivida.

Viva intensamente, viva cada minuto, não deixe para depois o que você pode viver agora. Não deixe para amanhã o que você pode vivenciar hoje. Ouvi uma vez uma frase que dizia: *"Prefiro viver dez anos a cem por hora, do que cem anos a dez por hora"*. Isso é viver intensamente.

Princípio da modelagem positiva

Vou começar este tópico falando de um livro de que eu gosto muito, que trata essencialmente de modelagem: *A lei do triunfo,* de Napoleon Hill, escritor famoso que também foi assessor de presidentes norte-americanos.

Napoleon Hill foi contratado pelo industrial do aço Andrew Carnegie para entrevistar e acompanhar, por mais de vinte anos, as pessoas mais bem-sucedidas do planeta. A finalidade dessa pesquisa era descobrir os comportamentos, a mentalidade, as competências e as semelhanças dessas pessoas. Enfim, descobrir qual era a trilha que levava ao sucesso.

A lei do triunfo é o resultado dessa pesquisa. O livro trata dos fundamentos de dezesseis leis que podem ajudar as pessoas a transformar suas vidas de maneira surpreendente. Portanto, a modelagem não é uma estratégia atual. Napoleon Hill já trabalhava nela.

A modelagem é um facilitador, um acelerador de processos. O que é um caminho bastante lógico de se pensar. Afinal, por que não aprender com quem já chegou aonde você quer chegar? Você vai diminuir a sua caminhada, vai errar menos e vai acertar mais.

Quando existe uma experiência validada, um modelo consolidado, por que não pegar esse modelo e adaptá-lo à sua realidade, à sua condição? Modelagem é exatamente isto: pegar o que já deu certo e usar para acelerar o seu crescimento.

Existem inúmeras maneiras de modelar um padrão e adaptá-lo à sua realidade e à sua condição: por meio de um livro, de um processo, de uma pessoa de sucesso. Você pode buscar um curso de capacitação e adquirir novos conhecimentos de funcionamento comprovado, pode contratar uma mentoria, que é, em princípio, um modelo validado – alguém que deu certo em algo e consolidou aquele caminho, chegou a resultados expressivos e positivos e está ensinando isso de maneira muito mais rápida, direcionada, estruturada e organizada.

A modelagem é o caminho mais rápido, caminho mais curto, para você atingir os seus objetivos. Isso não significa que você não vai errar, mas significa que você pode errar menos e corrigir mais rapidamente quando cometer enganos.

Sempre tive, desde muito cedo em minha vida, modelos de pessoas de sucesso, de quem sigo os passos e cujos exemplos uso como referências para tudo o que faço. Esses são meus modelos, meus processos validados, que me ajudam muito nos meus projetos e na minha vida.

Espelhe-se em pessoas que você admira e que já conseguiram o que você quer conquistar. Elas deixam trilhas e algumas fórmulas que, se bem aplicadas, o ajudarão a economizar tempo e energia e potencializarão seus resultados.

Agora você tem um desafio: encontrar alguém, ou algum modelo de pessoa ou de processo, para ser o seu referencial de qualidade, o seu padrão de comportamento e procedimento para buscar o sucesso. Encontre essa pessoa, ou esse modelo, e a traga para a sua realidade. Adapte-se a esse modelo e o tenha como referência clara e você vai perceber uma grande mudança positiva em sua vida.

Neste livro você tem também um modelo de sucesso para seguir: o *Modelo de Transformação Turnaround*. Ele é simples e eficaz. É só você segui-lo firmemente e vai ver a grande transformação que ocorrerá em sua vida.

Princípio da contribuição

Contribua para o bem de todos. Não estamos falando simplesmente de uma contribuição financeira, mas sim de contribuir em tudo, de forma mais ampla.

Podemos contribuir com todos e a todo momento, seja ouvindo as pessoas, sendo solícito, sendo prestativo, seja simplesmente estando disponível para que alguém possa se sentir confortável com a nossa presença.

Podemos ajudar incentivando mudanças positivas na vida das pessoas, inspirando-as e motivando-as a ter uma vida melhor, mostrando um caminho, orientando, norteando, encorajando-as a lutar por um destino extraordinário.

É muito importante termos a consciência de que somos corresponsáveis por tudo o que vivemos e o que está à nossa volta. Por isso, contribuir faz parte das nossas atribuições mais básicas.

Mesmo que não houvesse outra razão mais nobre para contribuirmos com as pessoas e com o mundo, ainda assim deveríamos contribuir, mesmo se fosse por "puro egoísmo". Eu explico: entre as principais necessidades humanas, uma das mais importantes para a nossa autorrealização é a contribuição. Todo ser humano, em algum momento, vai sentir uma necessidade imensa de contribuir, de ajudar alguém.

Além do mais, a teoria da reciprocidade diz que, quanto mais você doa, mais recebe; quanto mais você ajuda, mais retorno terá. É a lei do retorno, da ação e reação, aplicada à nossa vida, e da qual não temos como escapar.

Segundo a teoria da reciprocidade, você consegue convencer as pessoas com mais facilidade dando a elas algo que queiram, fazendo um favor a elas, sendo gentil com elas, contribuindo com elas, para que fiquem bem, se sintam melhor. A reciprocidade diz que, quando a pessoa "se sente em débito com você", ela irá achar algum jeito de pagar esse débito. E então estará mais disponível para ouvir o que você tem a dizer.

Portanto, colhemos aquilo que plantamos. O que semeamos é o que colheremos. E é muito importante entender que na vida "semear é opcional, mas a colheita é obrigatória". Então, semeie coisas boas, contribua para um mundo melhor e você só terá a ganhar com isso.

Ajude outras pessoas verdadeiramente, seja hospitaleiro, gentil, generoso, prestativo, solícito. A reciprocidade é poderosa, e ser prestativo fará de você uma pessoa muito mais bem-sucedida. O seu resultado vai ser extraordinário.

Quero sugerir que você, ao terminar de ler este tópico, mantenha estas questões firmes na sua mente: o que você vai fazer a partir de agora para contribuir com seu amigo, sua família, seus colegas de trabalho, seu funcionário, seu patrão? O que você está fazendo neste momento para contribuir com o seu próximo? Responda a essas questões todos os dias, e sua vida vai realizar uma grande virada positiva.

Não importa o tamanho da sua contribuição, não importa se ela seja em dinheiro ou em outra forma qualquer. O que importa mesmo é que você tenha essa mentalidade de contribuir sempre e que ela fique incorporada em sua vida a partir de hoje.

Torne-se um semeador de boas coisas. Seja alguém que faz questão de contribuir para melhorar a vida de outras pessoas.

Princípio da paixão por vencer

Os seus olhos precisam brilhar para o que você faz.

Resultados excepcionais são atingidos por quem tem brilho nos olhos e paixão por vencer. Esses dois comportamentos são capazes de mudar o curso da sua vida.

A palavra paixão costuma ser associada a um sentimento intenso, que possui a capacidade de alterar o comportamento e o pensamento. Já a palavra vitória é entendida como a ação ou efeito de vencer, de sair triunfante. Quando unidas, essas duas palavras são muito poderosas e podem ser usadas como estímulo para viabilizar seus grandes sonhos e promover grandes conquistas na sua vida.

Jack Welch é um executivo e autor norte-americano que trata exatamente sobre a dimensão do impacto da paixão por vencer na vida das pessoas. Welch é autor do livro *Wininng* (*Paixão por vencer,* em português) e ficou famoso no mundo dos negócios por meio das suas conquistas e habilidades em gestão adquiridas durante vários anos atuando na General Electric (GE). Uma de suas frases mais célebres é *"Bons líderes criam uma visão, articulam a visão, tomam a visão com paixão, e conduzem sem descanso até a sua realização".*

Para qualquer um que sonhe com o sucesso, seja pessoal, seja profissional, seja material, a única garantia de conseguir obtê-lo vem da paixão por vencer. Com paixão, você dorme, sonha, acorda, vive pensando no sucesso. E faz o que é preciso para conquistá-lo.

Costumo dizer que a essência da paixão por vencer é ter brilho nos olhos em tudo que você se propõe a fazer. Esse brilho nos olhos pode ser facilmente identificado em pessoas que batem no peito e dizem que vão fazer acontecer e assim conquistam seus sonhos e suas metas. Esse tipo de pessoa vai à luta e faz o que é necessário para chegar aonde decide que vai estar.

Estive certa vez com o empresário paranaense Robinson Shiba, criador e CEO da China in Box e do Gendai, na época um dos integrantes do programa de tevê *Shark Tank Brasil.* Perguntei como ele fazia para escolher um negócio para investir. E ele respondeu: *"Eu reparo nos olhos de quem está falando sobre seu negócio. Se os olhos dele brilham, eu já tenho uma propensão a investir no negócio dele".*

É claro que há vários outros critérios que ele avalia para decidir se vai investir em um negócio. Mas, se a pessoa dona do negócio tem paixão pelo que faz, já é um bom ponto de partida para a avaliação positiva que o Robinson faz.

E é aqui que eu lhe pergunto: você ama o que está fazendo? Você é apaixonado pelo seu trabalho ou pelo seu negócio? Quando você fala do seu negócio, seus olhos brilham?

Sempre digo que, quando a pessoa acorda e diz *"Droga! Vou ter que trabalhar hoje!"*, então está na hora de mudar de emprego, ou mudar de negócio. Quando a pessoa fica olhando o relógio, esperando chegar as seis da tarde para bater o cartão e ir embora, está na hora de cair fora desse trabalho.

Essa é uma situação que não faz bem para a pessoa. Ela não gosta do que faz, e isso é uma dor que ela vive. E não vai conseguir produzir o suficiente para que consiga trazer resultados para ela mesma, e muito menos para os outros ou para a empresa em que trabalha. Se ela é dona do negócio, não vai gerar faturamento que compense todo o seu sofrimento.

Se esse é o seu caso, tenho um recado: mude rapidamente, saia desse emprego, mude de negócio, porque você não vai ser bem-sucedido. As pessoas que não amam o que fazem tendem a fracassar muito rapidamente.

Se você não pode mudar rapidamente de profissão ou de negócio, então aprenda a amar o que você está fazendo, até que você tenha condições de mudar para aquilo que realmente lhe dá paixão. Quando você coloca o coração no que faz, canaliza toda a sua energia para aquilo e torna seus sonhos mais fáceis de realizar.

Paixão por vencer naquilo que você ama fazer é ter vibração intensa. Quem nunca se deparou com esse tipo de atitude em um vendedor? Você talvez nem comprasse aquele produto ou serviço que ele lhe ofereceu, mas, por conta do entusiasmo e a atenção com que o vendedor o apresentou, acabou comprando.

Tenha paixão por vencer. Tenha brilho nos olhos. Amor pelo que faz. Não faça só o que gosta, mas goste do que faz. Tenha sede pela conquista, pela vitória, queira fazer história, deixar um legado.

E então: você tem um brilho nos olhos quando fala do seu negócio, quando explica para alguém aquilo em que trabalha?

Princípio da intensidade

Canalize toda a sua energia
e atue intensamente em tudo que você faça.

Intensidade é característica de algo que se apresenta em grandes proporções, que se faz sentir com força e vigor, que se faz presente de maneira clara e inequívoca.

Costumo dizer que, se você tiver pequenas ambições, se esperar obter pouco da vida, tudo o que você vai conseguir é menos do que merece ter. Por isso, seja intenso, aspire a grandes coisas e obtenha grandes sucessos. Comece a acreditar em coisas grandiosas, e tudo mudará na sua vida. Sua mentalidade mudará, seu comportamento mudará e, consequentemente, seus resultados serão infinitamente superiores.

Seja intenso em tudo que você faz, canalize suas energias, faça com muita vontade, coloque bastante combustível, força, energia em suas ações e, com esses atributos, você voará bem mais alto.

Faço questão de lembrar sempre: o tamanho do seu sucesso é determinado pela intensidade de suas crenças.

A maneira como você olha para o seu objetivo determina se você vai alcançá-lo ou não. Por isso, faça questão de sonhar e buscar coisas que sejam realmente relevantes na sua vida.

Mas lembre-se: não basta somente pensar, sonhar, desejar. É preciso fazer o que for necessário para realizar o que você deseja e colocar toda a sua intensidade e paixão em cada ação e cada pensamento que o levem ao seu objetivo. Só assim você vai fazer com que o seu sucesso se realize.

Princípio da ousadia

> **"É muito melhor arriscar coisas grandiosas, alcançar triunfos e glórias, mesmo expondo-se à derrota, do que formar fila com os pobres de espírito que nem gozam muito nem sofrem muito, porque vivem nessa penumbra cinzenta que não conhece vitória nem derrota."**
>
> \- THEODORE ROOSEVELT

Uma pitada de ousadia. Isso é o tempero que faz com que as nossas vitórias tenham mais sabor. Mais ainda, sem ousadia muitos projetos nem mesmo chegam a sair do papel.

A psicóloga Flávia Arpini escreveu em um artigo[2] algumas ideias bastante esclarecedoras sobre a ousadia: *"Quando falamos em ousar, estamos dizendo dos passos que damos em direção a tudo aquilo que não conhecemos... E é nessa hora que colocamos a nossa coragem à prova... Ousar significa seguir em frente superando os obstáculos que somos capazes de enfrentar... Sem esta atitude ousada, jamais descobriremos que há um caminho para atingir nosso objetivo... Para toda atitude ousada, mudanças ocorrem em nosso interior,* e saímos dessa decisão, seja ela qual for, mais fortes*, mais experientes, menos ingênuos e menos frágeis... Ousar é uma arte, que pode ser aprendida, experimentada, refinada"*.

---

[2] http://blogdescalada.com/na-verdade-o-que-significa-ousadia/

Hoje ouvimos muito falar que, para ter sucesso profissional, é preciso muita ousadia. Sem dúvida, dá para perceber claramente que ser ousado é um grande diferencial em um mundo onde são tantas as possibilidades que muitos profissionais se intimidam e se acomodam onde estão.

A palavra "ousar" significa atrever-se, ter coragem, ser empreendedor, aventurar-se. Traduz um perfil de quem se lança em um risco calculado, enfrenta os desafios e não teme errar ou avançar para testar algo novo.

Quem é ousado tem valentia e coragem, arrojo, toma decisões, é flexível, se adapta com facilidade, não se deixa permanecer engessado seja por qual situação for. Acima de tudo, acredita que a realidade sempre pode ser mudada.

Para finalizar este ponto, quero deixar aqui um texto da escritora Lya Luft de que gosto muito: *"Apesar de todos os medos, escolho a ousadia. Apesar dos ferros, construo a dura realidade. Prefiro a loucura à realidade, e um par de asas tortas aos limites da comprovação e da segurança. Eu sou assim, pelo menos assim quero me imaginar: a que explode o ponto e arqueia a linha, e traça o contorno que ela mesma há de romper. Desculpem, mas preciso lhes dizer: Eu quero o delírio".*

Seja ousado, avance, arrisque. A vida é feita de escolhas, e sempre é melhor se arrepender pelo que fez do que pelo que não fez. Quando você faz e erra, aprende com o erro. E entre tantas tentativas, erros e aprendizados, uma hora você encontrará o caminho certo.

"Seja qual for o seu sonho, comece.
Ousadia tem genialidade, poder e magia."

- JOHANN GOETHE

ぎ

PILAR 3

Acúmulo de competências – amplie seus conhecimentos

O conhecimento é libertador e somente ele pode provocar as verdadeiras mudanças na vida das pessoas. Ele é uma das grandes bases para o *turnaround*. O conhecimento gera e fortalece suas competências.

Competências são as habilidades incorporadas à pessoa, são a maneira como ela realiza tudo na sua vida. Para galgar novos degraus de sucesso, existem algumas competências que são fundamentais, baseadas no *Modelo de Transformação Turnaround*.

Uma pessoa, quando tem como objetivo subir ao próximo patamar na vida, precisa responder a questões como:

- Você é persuasivo? Se não for, tem que trabalhar isso.
- Você é estrategista? Tem que adquirir a habilidade da estratégia.
- Você inova sempre? Se não, tem que aprender a pensar de modo inovador.
- Você é detalhista? Se não for, precisa desenvolver sua atenção aos detalhes.
- Você sempre está motivado? Automotivação é fundamental para a escalada rumo ao topo.
- Você tem foco? Se não tiver, vai gastar energia andando em círculos.
- Você tem disciplina? É melhor adquirir, porque o sucesso, seja em que área for, exige que sejamos muito disciplinados.

É preciso incorporar essas competências se você quiser mesmo fazer toda a diferença em sua vida. Claro que, em determinados mercados ou setores, você precisará de outras competências, mas pelo menos essas são essenciais para uma alta performance.

Amplie seus conhecimentos e fortaleça suas competências. Faça cursos que lhe agreguem valor, que desenvolvam seu potencial, que facilitem a sua trajetória para o nível ao qual você quer chegar.

Conecte-se com as pessoas certas, afinal, você é a média das cinco pessoas com quem você convive e, além do mais, as pessoas certas é que lhe trarão novos conhecimentos úteis para a sua jornada.

Tenha um calendário com uma rotina, com seus objetivos e atividades, com anotações sobre quais habilidades e competências você precisa desenvolver para chegar ao seu objetivo. Assim você não perderá o foco daquilo que é necessário fazer para subir para o próximo patamar na vida.

Para ampliar suas competências de modo a consolidar seu caminho para o topo, para subir degraus que o levem a níveis mais altos na vida, vai ser necessário trabalhar em determinados pontos da sua maneira de ser. Vamos estudar cada um deles a seguir.

Princípio da inovação

Quando foi a última vez em que você fez algo pela primeira vez?

Estamos sempre no piloto automático, fazendo as mesmas coisas, andando pelos mesmos caminhos, vivenciando as mesmas experiências. E aí vem o questionamento: como podemos querer resultados diferentes fazendo sempre as mesmas coisas?

Precisamos inovar. Buscar novas alternativas, novas possibilidades, formas diferentes, novos caminhos, olhar de maneira diferente para os mesmos problemas, quebrar as regras e reinventar o tempo todo.

O grande problema da maioria das pessoas é que elas acreditam muito naquela frase popular que diz que "Em time que está ganhando não se mexe". E então paralisam diante da possibilidade de inovar.

Muitas empresas que estão no mercado fazendo sempre a mesma coisa, do mesmo jeito, também estão fadadas ao fracasso. Se não inovarem, em determinado momento elas deixarão de existir.

Inovação não significa fazer tudo do zero, como se nada mais existisse. Mas você pode inovar, por exemplo, criando vertentes no seu modelo de negócios, buscando alguma coisa que possa ser feita de modo diferente, fazendo pequenas alterações que vão potencializar os seus negócios.

Acostume-se a quebrar paradigmas, a reinventar-se com frequência, a inovar o tempo todo. A partir daí, você começará a vivenciar possibilidades incríveis, a ter contato com coisas diferentes, enxergar o que poucos podem ver e realizar o que muitos nem mesmo sonham ser possível.

É possível perceber, no mundo atual, empresas que saíram da rotina fatídica de fazer sempre mais do mesmo e, com isso, ganharam o mercado de outras que se acomodaram. São consideradas inovadoras e têm resultados excepcionais. Exemplos claros disso são Uber, Airbnb, Netflix, que fazem sucesso com base em sistemas inovadores.

Então, como exercício, faça uma busca das melhores práticas, nessas empresas inovadoras, que as conduzem a um desempenho superior, e as use como inspiração para melhorar a forma como você realiza as ações em sua empresa ou em seus negócios.

Buscar fazer algo de maneira diferente, trazer algo novo para a sua empresa, vai colocá-lo na dianteira da concorrência. Inovar o tempo todo vai deixá-lo sempre na frente.

O princípio básico da inovação pode ser resumido em uma frase: "Torne-se o que você nunca foi, para fazer o que você nunca fez!". Fazer coisas diferentes vai trazer-lhe resultados extraordinários.

Então pense: o que você está fazendo hoje e como poderá fazer amanhã de maneira diferente? O que você pode inovar no seu modelo de negócio? Como pode se reinventar como profissional?

Princípio do foco

Ter foco é dedicar energia, atenção e intensidade a tudo aquilo que é extremamente importante para você, que é relevante em sua vida.

Quando você tem uma meta, um objetivo, tem que focar para potencializar a realização. Quando coloca foco em algo, você expande a energia em torno daquele objetivo ou plano de ação que é seu desejo realizar. Você concentra energia naquilo que é importante.

Focar não é o mesmo que parar todas as suas outras atividades para se dedicar a uma só delas, mas sim trazer a sua atenção para aquilo que é importante que você faça naquele momento em que está trabalhando.

As ocupações e preocupações do dia a dia, e mesmo coisas banais e corriqueiras à nossa volta, normalmente tiram a nossa atenção do que é importante. Uma tevê ligada, um amigo convidando para sair, um colega de trabalho chamando para o futebol, tudo isso é distração e nos tira do foco nas coisas que precisamos realmente fazer.

É importante perceber que não estou dizendo que você não pode se divertir. É claro que você pode e deve, mas nas horas certas, em dosagem certa. Quando você está trabalhando no seu projeto de vida, tem que ter foco total.

Tudo o que você estiver fazendo precisa ter o objetivo de ajudá-lo a alcançar suas metas. Caso não seja para agregar resultados, pare de fazer essa atividade e retome aquelas que vão ao encontro de seus objetivos.

Questione-se o tempo todo sobre este ponto. Se tudo o que você está fazendo agora está agregando valor e o levando ao resultado esperado, continue fazendo. Se aquilo que você está fazendo, em algum momento de sua vida, não está agregando valor à sua vida, pare de fazê-lo.

Focar é aprender a dizer "não" para muitas coisas. Quando você se dedicar a um projeto, no caminho vão aparecer muitas outras atividades também importantes, cobrando a sua atenção. E você vai ter de dizer não para elas. Não é porque essas outras atividades não são importantes, mas simplesmente porque não é hora de você cuidar delas, pois a sua prioridade e o seu foco precisam estar em outro lugar.

Manter o foco no seu objetivo principal é determinante para os seus resultados. Focar não é só levar a sua atenção plena para o que você está fazendo, mas também levar a sua melhor energia, colocando intensidade e vibração positiva naquilo que faz.

Princípio do detalhe

Cuide dos detalhes. Por menos que possa parecer, a grande diferença entre o sucesso e o fracasso de um empreendimento está nos detalhes.

Observe minuciosamente cada item, cada ponto e cada elemento envolvido em seus negócios. Porque, se você não der atenção aos pequenos detalhes, em breve irá descobrir que pequenos problemas podem se tornar grandes problemas. Em contrapartida, pequenas coisas bem cuidadas podem trazer grandes resultados.

Você é detalhista? Observa as pequenas coisas do dia a dia?

Muitas vezes deixamos de responder a um pequeno e-mail, ou a uma mensagem de WhatsApp, ou não retornamos um telefonema. Esses pequenos detalhes vão sabotando nossos resultados. Acredite: cuidar de pequenos detalhes como esses farão de você um grande profissional e um empreendedor de sucesso.

Para ter uma dimensão maior da importância dos detalhes no mundo dos negócios, imagine que muitos empreendedores utilizam com frequência uma ideia conhecida como MBWA *(management by walking around)* para gerenciar os seus negócios. Esse termo foi muito difundido por Bill Hewlett e Dave Packard, fundadores da HP.

Basicamente, usar o MBWA significa sair da cadeira e andar pela empresa, interagindo com colaboradores, fornecedores e clientes – ou seja, cuidando dos pequenos detalhes que um executivo jamais perceberia se permanecesse em seu escritório.

Com relação a isso, disse Dave Packard: *"Nessas andanças, aprendi que qualidade requer minutos de atenção para cada detalhe, que todos os colaboradores querem fazer um bom trabalho, que manuais escritos raramente estão adequados e que o envolvimento pessoal é essencial"*.

Sam Walton, fundador do Walmart, acordava de madrugada para ir tomar café com os motoristas dos caminhões da empresa. Fazia novos amigos e ficava sabendo também quais produtos vendiam mais, quais lojas estavam com problemas e quais ideias poderiam ser implementadas para melhorar a entrega das mercadorias e a oferta de produtos nos seus mercados.

No Japão as pessoas atentam muito aos pequenos detalhes, em especial no tratamento com os clientes. Por exemplo, quando você vai abastecer em um posto de gasolina, o atendente lhe pergunta se você tem algum lixo, dentro do carro, que queira descartar. E ele faz questão de retirar esse lixo do seu carro e levá-lo para as lixeiras. E depois, na hora que você vai sair do posto, a pessoa acompanha seu carro até a rua, para certificar-se de ajudá-lo a sair do posto com segurança, observando o trânsito e sinalizando para você qual é o melhor momento de voltar para a pista de rodagem.

Na minha empresa, também reparamos em tudo. O café frio, um copo sujo, um guardanapo usado e que não foi descartado, tudo chama a nossa atenção. Mas não fazemos isso para acusar ou culpar ninguém. Observamos esses detalhes com a intenção clara de corrigir esses pequenos desvios, de tomar providências para que esses detalhes sejam sanados.

Eu faço questão de acompanhar pessoalmente meus clientes até a porta e me despedir deles com gratidão e desejo expresso de que eles serão sempre bem-vindos novamente.

Tudo isso são detalhes, que se traduzem em uma atenção máxima com o cliente. E isso faz toda a diferença na sua jornada para o sucesso.

Ser detalhista é ter uma visão 360 graus, olhar para todos os lados a todo momento e observar o tempo todo como as pequenas coisas são importantes. Pessoas que não prestam atenção em pequenos detalhes também não darão atenção às grandes coisas.

São os pequenos detalhes que farão toda a diferença positiva na sua jornada. E, em geral, pequenos detalhes não nos consomem muito tempo para serem resolvidos. Por isso mesmo, como se costuma dizer entre os empresários mais bem-sucedidos do mundo, *"Se o que você tem de fazer pode ser feito dentro do tempo de três minutos, então faça agora"*. Porque senão você vai acabar se esquecendo de fazer uma coisa bem pequena, mas que poderá comprometer um grande trabalho que você vem fazendo.

Princípio do planejamento estratégico

"Se você falha em planejar, está planejando falhar." Então, como o planejamento é assim tão importante, é certo dizer que a estratégia é o acelerador para o sucesso. Você precisa ter uma estratégia para tudo.

Mas atenção: o planejamento de que estou falando aqui não é aquele em que você coloca tudo detalhadamente no papel, mas depois não consegue executar. O planejamento tem que ser construído de tal forma que você tenha em mãos um conjunto de fatores definidos e executáveis que o ajudarão a atingir o resultado esperado.

Em um planejamento estratégico, tem-se que ter metas muito claras a serem atingidas. Ninguém acorda, entra no carro, dirige mil quilômetros e diz: *"É aqui que eu queria chegar"*. É óbvio que ninguém faz isso no carro, mas as pessoas conduzem sua vida dessa forma. Elas acordam, tomam café, vão para o trabalho, voltam no fim do dia, sem terem traçado nenhuma meta, sem nenhuma definição de aonde querem chegar, sem nenhum planejamento.

Então é preciso ter metas bem definidas. E elas precisam ser executáveis, senão não terão valor algum. Nessa parte, gosto muito de usar o acrônimo *SMART*, que dá uma ideia de que nossas metas precisam "ser espertas, inteligentes", e também nos descreve como uma meta deve ser:

S – de específica (*Specific*).

M – de mensurável (*Measurable*).

A – de atingível (*Attainable*).

R – de relevante (*Relevant*).

T – de temporal (*Time based*).

Em resumo, todo planejamento estratégico tem que ter metas definidas, e as boas metas são traçadas com essas características.

Por exemplo, se o seu objetivo é montar um restaurante e você está traçando o seu planejamento estratégico, suas metas devem levar em consideração alguns pontos como:

(S): É preciso definir que tipo de comida você vai servir, se vai ter alguma especialidade, se vão trabalhar com comida japonesa, italiana, etc. Quem será o seu público-alvo e qual é a melhor localização para o restaurante?

(M): Qual é o público que você quer atender: cem pessoas por dia, duzentas, trezentas? Quanto você quer faturar por mês: trinta mil reais, cem mil, duzentos mil? Você tem que ter esses números para poder dimensionar a sua meta.

(A): A meta é atingível? É possível atingir o faturamento planejado? Aqui é importante compreender que você pode atingir qualquer valor de faturamento, mas é preciso entender também que isso é como uma escada, que tem de ser subida um degrau de cada vez. Sua meta terá de ser conquistada por etapas.

Quando morei no Japão, subi o Monte Fuji, o mais alto do arquipélago japonês, com 3.776 metros de altura. Quase quatro quilômetros, íngremes, difíceis, solo pedregoso. Uma tarefa que exige planejamento, determinação e, acima de tudo, uma subida etapa por etapa. Então, subi até a estação 5, depois venci a etapa 6, a seguir a 7, e assim por diante, até o topo. Apenas como curiosidade, dizem "*Que todo homem nascido no Japão deve escalar o Monte Fuji pelo menos uma vez na vida. Assim, ganhará benção espiritual e sorte em sua vida*". Então, essa foi para mim uma conquista inigualável, só compreendida de verdade por quem já fez essa escalada. Mas eu jamais teria tido sucesso se quisesse escalar o monte todo de uma só vez.

Então, seu planejamento estratégico deve levar em conta as etapas que você vai ter de vencer, uma a uma. Se a meta total não é atingível no prazo estipulado, ou nas condições definidas, será necessário dividi-la em submetas menores, atingíveis uma de cada vez, e cuja soma dos resultados o levarão a atingir a meta maior no final.

Você quer ganhar um milhão de reais por mês com o seu restaurante? Tudo bem. Mas qual é o ponto de partida? Ganhar dez mil, cinquenta mil, cem mil? Defina o ponto de partida e as etapas seguintes e assim vá conquistando cada etapa.

(R): A sua meta tem de ser relevante para você. Imagine só você trabalhar com um restaurante sem gostar de cozinha, sem ser muito bom no relacionamento com pessoas, sem nem mesmo ter interesse em administrar seu negócio. Se você não gosta dessa área de restaurantes, como é que vai colocar o seu coração, colocar paixão, em seu negócio?

Quando você acorda pela manhã e diz "que droga, eu tenho que ir para o trabalho hoje", então já está fadado ao fracasso – seja você um profissional contratado, seja um empresário. Porque, se você não gosta do que faz, nunca vai fazer direito, nunca vai dar o seu melhor.

Se a sua meta não for relevante para você, se não tiver importância verdadeira na sua vida, você não vai ter sucesso. E tem ainda mais: sempre digo que a relevância do que você faz tem que estar ligada a um "porquê", e não só a um propósito – sim, porque pensar em termos de um propósito muitas vezes é difícil quando você está passando fome, por exemplo. Então, você tem que pensar primeiramente no porquê de estar fazendo aquilo. Por exemplo: por que você está trabalhando nisso? Porque tem que colocar comida em casa, tem filhos para criar, tem aluguel para pagar, tem um grande sonho, tem vontade de conhecer o mundo, tem o desejo de comprar sua casa e sair do aluguel, quer trocar de carro? Qual é a grande motivação que o move? Tem que ter um grande porquê. Quando se tem um grande porquê, então existe relevância no negócio, na meta. Existe importância. Quando você resolver os seus "porquês", então o seu propósito se tornará mais claro, e você poderá trabalhar nele com objetividade.

(T): E, por fim, a meta tem que ser temporal. O que isso significa? Normalmente, as pessoas não colocam data de início nem data de término em seu planejamento, de modo que alcançar sua meta se torna um fato aleatório e não ganha força de ação. Por exemplo, as pessoas costumam tomar aquelas decisões de fim de ano e, no dia 31 de dezembro, colocam como data de início de suas metas o dia primeiro de janeiro. E acham que com isso vão mudar o mundo. Mas chega o dia 3 de janeiro, e elas já abandonaram tudo, já esqueceram suas metas, e está tudo da mesma forma.

É preciso colocar data de início e data de término para suas metas. Você precisa ter a visão clara de em que espaço de tempo a sua meta tem que ser realizada e assumir o compromisso consigo mesmo de tê-la alcançado no prazo que você estipulou.

Veja como fica mais palpável – e mais simples de realizar – quando você diz algo como: a partir de primeiro de janeiro, vou me empenhar nas minhas metas. E até o final deste novo ano vou ter comprado a minha casa, ter viajado para três países, ter aberto uma nova filial de minha empresa.

A partir daí, é possível fazer um planejamento e estabelecer para cada meta o quanto você vai precisa faturar de dinheiro e o quanto vai precisar economizar para atingir essas metas. Caso você não ganhe o suficiente neste momento, qual será a sua estratégia? Talvez você tenha que arrumar um segundo emprego, fazer horas extras, ou fazer um bico. Ou mudar de emprego, prospectar mais clientes, para expandir seus negócios. Quem sabe vai precisar conseguir bons empréstimos, ou um sócio para investir na sua empresa. Ou vai ter de criar formas de aumentar o valor médio que cada cliente gasta em sua empresa, para conseguir faturar mais. Enfim, qual vai ser a estratégia para que consiga atingir a sua meta, o seu objetivo, dentro do prazo que você estabeleceu.

A grande verdade é que as pessoas normalmente não planejam. Ou planejam da forma errada. E isso é um grande convite para o fracasso.

Certa vez, conversando com Luiz Fernando Garcia, autor de vários *best-sellers*, inclusive *Pessoas de resultado*, grande guru do mercado na área de comportamento e também grande empresário, ouvi dele que um dos maiores erros que as pessoas cometem hoje é pensar em planejamento de longo prazo. Mas isso é coisa para as grandes corporações. Elas, sim, fazem planejamento estratégico para dez, vinte, trinta, quarenta anos. Mesmo assim, hoje isso está ficando inviável, porque o volume de informações disponíveis dobra a cada ano. Fica impossível planejar em tão longo prazo, porque tudo muda: a forma de fazer marketing muda, a forma de vender muda, o comportamento do cliente muda. Então esqueça o planejamento de longo prazo. Hoje você tem que planejar no curto prazo e, no máximo, médio prazo. Para nós, indivíduos comuns, isso é ainda mais claro, evidente e necessário.

Então você tem que começar com um planejamento de curto prazo. Planeje o seu ano, dentro disso planeje seu semestre, seu trimestre, seu mês, sua semana, seu dia. Faça do planejamento um hábito.

Mas entenda que não estou falando de um planejamento doentio, pesado, impraticável. Quando falo de planejamento estratégico, estou dizendo apenas que é preciso ter claro em sua mente o que você vai fazer naquele dia – se você vai prospectar, se vai se relacionar, fazer marketing nas redes sociais, se vai fazer uma nova parceria, visitar uma nova praça. É ter claro como vai ser o seu dia, de acordo com as metas que você já desenhou.

Você tem que se habituar a ser um estrategista. O seu planejamento tem sempre que levar em conta todas as estratégias possíveis para ajudá-lo a realizar os seus sonhos, os seus planos de vida.

Quando eu estava no Japão, criei uma estratégia para me posicionar com os grandes empresários do mercado. Então, por exemplo, eu frequentava os eventos onde estavam os grandes importadores, os grandes atacadistas, as grandes empresas, e comecei a aparecer com muita frequência e intensidade entre eles e a me relacionar com cada um deles. Sempre usei a ideia da reciprocidade como base dos meus relacionamentos – sim, porque, em geral, quando você faz algo bom para uma pessoa, automaticamente ela se sente no dever de retribuir. Sempre fui cortês, gentil, comunicativo, sempre ajudando essas pessoas e contribuindo com elas. E, consequentemente, essas pessoas também me ajudavam. E, quando voltei para o Brasil, minha estratégia foi de aproximar-me ainda mais das pessoas que poderiam potencializar meus negócios, indicar-me para o mercado, ser meus parceiros.

Quando decidi procurar um investidor para a minha empresa, minha estratégia envolveu identificar quem seriam os potenciais investidores, encontrar pessoas que tinham os mesmos valores que eu, que tivessem os mesmos objetivos. Foquei também em pessoas mais jovens, que entendiam toda a minha filosofia de crescimento rápido, de investimentos um pouco mais ousados.

É logico que não procurei somente quem tinha dinheiro para investir na empresa. Gosto muito da ideia do *smart money*. Essa expressão pode ser traduzida como "dinheiro inteligente" e serve para descrever os investidores que, além de trazer capital, também serão um diferencial importante para a empresa, devido à sua experiência no mercado em que a empresa atua, ao seu conhecimento em determinada área crucial para a empresa, além de, preferivelmente, já terem forte *networking* com clientes em potencial.

Assim, meu sócio contribuiu e contribui para o crescimento do negócio. Então, quando falo em ser estrategista ao procurar um sócio, estou dizendo que você não deve buscar somente quem traga dinheiro. É preciso procurar quem é *smart money.*

Outra estratégia que usamos nos fez ganhar muito mercado. Na época em que planejávamos expandir a empresa para outros estados, decidimos pegar para vender aqueles produtos que ninguém queria pegar. Eram produtos muito mais desafiadores, porque não vendiam havia muito tempo. Entramos no estado de Minas Gerais, por exemplo, pegando produtos que não se vendiam havia treze anos. Mostramos nossa competência e a intensidade de nosso trabalho e acreditamos nos nossos resultados. Vendemos 65% desse produto em um final de semana. De outro produto que teve duas tentativas de lançamento, ambas fracassadas, entramos e vendemos 538 unidades em seis meses.

Quando entramos no estado de Roraima, aceitamos trabalhar por preço abaixo do valor que cobrávamos para fazer lançamentos imobiliários.

Nosso objetivo era entrar naquele novo estado. Mas, mesmo trabalhando com um valor menor, ganhamos muito dinheiro lá.

Tem muita gente que fala que não trabalha por um valor muito baixo. Mas a verdade é que tudo depende de você ter uma boa estratégia, bem definida. Por exemplo, o Ricardo Nunes, da Ricardo Eletro, usou na época a estratégia de *"ser o mais barato do mercado"*. Assim, existem vários produtos em suas lojas com os quais ele efetivamente não ganha dinheiro – vende pelo mesmo preço que compra. Portanto, vende mais barato que os concorrentes. Dessa maneira, ele atrai para suas lojas as pessoas, que acabam comprando também produtos com os quais ele tem lucro.

David Portes, camelô do Rio de Janeiro, é hoje um grande amigo e parceiro meu. Tive a oportunidade de levá-lo ao Japão para fazer três palestras. Também o entrevistei para o meu canal do *Turnaround* no YouTube. Ele falou sobre sua estratégia de sucesso, que chama de *Marketing de Projeção*: ele dá três ou quatro passos para trás, para depois poder dar dez passos para a frente. Então nem sempre recuar, ou perder, é algo ruim. Se estiver dentro da sua estratégia, do seu planejamento, vale a pena, porque você entende perfeitamente o que vai acontecer lá na frente, quais serão os resultados das ações que você faz hoje.

Perceba que você se desfazer de um bem para investir em um negócio não é algo necessariamente negativo. Tem gente que se apega às coisas, só acumula bens, não se desfaz de nada, seja por qual motivo for. Mas e se você precisar vender algo para investir e alavancar o seu negócio, que mal tem?

Então, ser estrategista é sempre usar toda e qualquer situação para continuar crescendo, alavancando seus negócios, progredindo na vida. Independentemente se você, naquele momento, está perdendo algo, se desfazendo de algo ou deixando de ganhar. Não importa qual é o evento atual, o que importa é o resultado futuro, o que você vai ter de crescimento, o resultado de alavancagem que você vai ter nos seus negócios.

Esses são os elementos fundamentais para fazer um planejamento estratégico para atingir o sucesso. Planeje no curto e médio prazo e defina claramente qual vai ser a sua estratégia. O uso da estratégia correta é um acelerador dos seus resultados. É isso que vai fazer todo o seu planejamento ser muito mais assertivo e seu sucesso chegar de maneira muito mais rápida e consistente.

Princípio da venda e da persuasão

Mesmo que as pessoas digam que não gostam ou que não sabem vender, elas estão sempre vendendo, o tempo todo.

Pense: você vende ideias, pensamentos, a sua imagem, as suas decisões. Vende para o seu pai, para o seu filho, para o seu marido ou esposa, vende para um amigo.

Quando vende, você tenta persuadir as outras pessoas, convencê-las a comprar o que está vendendo. Você trabalha para persuadir as pessoas, para que elas acreditem naquilo que está dizendo, que está vendendo, naquilo em que você acredita.

Um exemplo bem simples de entender é pensar naquela época em que você entra de férias e tem que decidir com sua família se vão para o campo ou para a praia. Começa ali um processo de vendas das ideias e argumentos de cada um, para ver quem consegue persuadir o outro a viajar para o lugar a que se gostaria de ir.

Assim é a vida: cheia de episódios em que você tem que vender algo para alguém. Então você tem que aprender a vender e a ser persuasivo. Mesmo que diga que não gosta de vender.

Costumo dizer que sou um ex-vendedor de coxinhas que virou um multiplicador de milhões. Mas só consegui chegar até aqui porque desde meus doze anos, época em que eu vendia coxinhas, descobri que tinha uma habilidade extra, poderosa, que era convencer as pessoas a comprar o meu produto.

Com base nessa habilidade, tornei-me um multiplicador de milhões. Trabalho no mercado imobiliário e vendo algumas centenas de milhões de reais por ano em empreendimentos imobiliários.

Mas como seria possível conseguir resultados tão bons se acreditássemos que não sabemos vender? Pense no exemplo de um engenheiro. Tecnicamente, ele pode ser muito bom naquilo que faz. Entretanto, só vai ser um profissional de sucesso se aprender a se comunicar, ser persuasivo e vender. Porque o que ele mais vai fazer é se comunicar com o cliente, falar com o patrão, conversar com o pedreiro, falar com todos os profissionais envolvidos nos projetos de que vai participar. E a todo momento vai precisar convencer alguém, vender uma ideia, vender uma solução.

E surge a pergunta: como posso aprender a vender, a ser mais persuasivo?

Existem muitos cursos, livros e inúmeros materiais disponíveis gratuitamente na internet que podem ajudá-lo a aprimorar essas habilidades. Mas quero recomendar um livro, em especial, que fez toda a diferença em minha vida e que vai dar-lhe um bom empurrão na alavancagem da sua carreira e do seu sucesso: *Como fazer amigos e influenciar pessoas,* um clássico de Dale Carnegie.

Esse livro tem diversas técnicas ligadas à persuasão, mas quero compartilhar com você duas delas, que considero fundamentais:

- Faça elogios sinceros. Elogiar uma pessoa a traz mais rapidamente para o seu modo de pensar.
- Chame a pessoa pelo nome. Quando faz isso, você coloca em evidência algo muito importante para ela: o próprio nome.

Existem muitos outros livros também importantes, que falam em "gatilhos mentais" – expressões que disparam decisões no nosso cérebro, no modo "piloto automático" –, que são fundamentais para se conseguir uma comunicação assertiva e persuasiva. A persuasão o colocará sempre à frente dos outros.

Existem inúmeras ferramentas disponíveis para você se tornar mais persuasivo e vender mais. Ser persuasivo é uma característica e uma habilidade das pessoas de sucesso e pode fazer toda a diferença e ser um divisor de águas em sua vida.

Princípio da motivação

Motivação é aquele impulso interior que nos leva a agir na direção de algo que queremos realizar.

A palavra motivação envolve duas ideias distintas: "motivo" e "ação". Ou seja, motivar para a ação. Para agir, você precisa ter um motivo. Quem tem um motivo forte o suficiente chega aonde quer.

Então qual é a sua grande motivação? O que faz você se inspirar e continuar nessa trilha de mudanças e dar uma guinada na sua vida? Qual é o seu grande motivo?

A motivação determina nossos resultados. Imagine-se entrando na sua empresa desmotivado. Qual é a energia que você vai passar para os seus colaboradores? Se você é um profissional e vai atender um cliente, se estiver desmotivado, qual será a reação desse cliente? Será que ele vai querer comprar o seu serviço ou produto?

Você precisa estar motivado para superar os obstáculos. Nada do que você fizer vai funcionar se você não tiver motivação.

Motive-se: durma pensando nos seus sonhos, acorde com energia e saia de casa disposto a fazer diferença positiva na sua vida e na vida de outras pessoas. Passe o dia entusiasmado, com vibrações positivas.

É muito importante entender o poder da motivação. Pessoas motivadas se esforçam mais, produzem mais, conquistam mais. A motivação é o componente que deve ser predominante em toda e qualquer ação que você empreender.

Princípio dos bons hábitos e da disciplina

É muito importante entender que tudo que se começa precisa ser finalizado. Mas muitas pessoas apenas começam algo e deixam tudo pela metade. É um desperdício de tempo e energia, que não dá frutos.

A grande dificuldade é que terminar algo que se começou exige disciplina, exige ter o hábito de ir até o fim. E poucas pessoas são disciplinadas o suficiente para realizar seus sonhos, trabalhando com consistência até concluir as atividades necessárias.

Eu sempre tive muita vontade de conhecer outros países. Então aprendi a colocar no papel o que eu queria realizar e deixar isso em exposição em um lugar visível, onde eu pudesse lembrar com muita frequência qual era o meu sonho.

Naquela época, listei alguns países que gostaria de conhecer, recortei fotos deles e colei em um papel-cartão. Depois tirei cópias dele e distribuí pelos vários ambientes do meu apartamento. Então, olhando para aquelas imagens diariamente, fui colocando em minha mente que eu tinha um compromisso comigo mesmo e com os meus sonhos.

Essa forma de organizar seus sonhos e objetivos de modo disciplinado tem alguns passos bem definidos, que é muito interessante seguir:

1. **Clareza de objetivo:** se você tem um sonho, um objetivo, isso tem que ficar bem claro para você, seja comprar um carro, uma casa, conseguir uma renda boa, viajar pelo mundo, etc. Coloque isso no papel de maneira clara e bem visual e monte uma espécie de cartaz com esse material. Cole fotos e outros elementos que o ajudem a se sintonizar mais intensamente com o seu sonho.
2. **Exposição:** faça cópias desse cartaz e as distribua por todos os ambientes de sua casa. Coloque-as em locais em que você tenha grande facilidade de vê-las quando estiver naquele ambiente. Coloque cópias também em seu carro e em seu escritório de trabalho.
3. **Frequência**: faça questão de olhar detalhadamente o seu cartaz com a maior frequência possível – pelo menos três vezes por dia (manhã, tarde e noite). Faça isso durante 21 dias. Estudos recentes afirmam que a repetição de algo por 21 dias é o suficiente

para criar um hábito. Então, olhe para esse seu cartaz, para o seu projeto, durante 21 dias.

4. **Intensidade**: a maneira como você olha para o seu projeto é fundamental. Por isso, coloque no papel um sonho que seja realmente **relevante** para você. Desse modo, você vai colocar muito mais intensidade e paixão na busca por esse objetivo.

Você vai perceber que, com esse processo, tudo isso vai se tornar automático e vai virar hábito. E então você estará trabalhando sempre com foco no seu objetivo, na realização do seu sonho.

Seja disciplinado em suas atitudes. De nada adianta ter conhecimento, saber o que é preciso fazer para ter sucesso, se não agir com regularidade, dedicação e constância. Seja disciplinado para atuar rigorosamente no que você planejou. É a disciplina que o fará ir mais longe e mais rápido.

É muito importante acreditar nesse processo de transformar seus sonhos em hábitos e atitudes em sua vida, pois isso é que vai trazer-lhe um resultado extraordinário. As coisas passarão a acontecer em sua vida de uma forma praticamente automática. Esse é um processo que leva pessoas comuns a resultados extraordinários. Vivencie essa grandeza.

Princípio do monitoramento

Monitorar é acompanhar e observar o desenrolar de um processo, de uma operação ou de uma situação. Em geral, planejar e monitorar são ações que dão os melhores resultados quando vinculadas entre si.

Todo monitoramento deve começar com um planejamento. Você só tem condições reais de monitorar o que foi previsto ou é esperado a partir de um planejamento previamente elaborado.

Por exemplo, planeje o seu dia de vendas: quantos atendimentos a clientes você fará? Quem você abordará? Para onde você irá? Quantos negócios você planeja fechar? Depois, monitore os seus resultados: você vendeu a quantidade prevista? Visitou todos os clientes agendados? Fez a quantidade de atendimentos que havia planejado?

Monitore seus resultados a cada hora, a cada dia, sempre avaliando o resultado obtido e comparando-o com o seu planejamento. Ajuste suas ações e corrija rotas, mas nunca desvie da sua meta.

Para monitorar sempre os seus resultados e a sua evolução, existem algumas ferramentas e procedimentos fundamentais que você deve adotar.

Lembre-se: você não gerencia o que não mede e não controla o que não gerencia.

Fazer *follow up*

Fazer *follow up* significa fazer o acompanhamento, fazer uma avaliação de algo que já foi feito, para obter informações sobre os resultados atingidos. Por exemplo, o *follow up* ocorre quando você vende um produto e depois de certo tempo liga para o cliente para saber se ele está satisfeito com o produto, fazendo um acompanhamento da relação estabelecida entre a empresa e o cliente, permitindo também avaliar o seu nível de satisfação.

Ter métricas de avaliação

Métricas são sistemas e ferramentas que permitem quantificar uma tendência, um comportamento ou uma variável de negócio, facilitando, assim, medir e avaliar o desempenho de qualquer ação planejada e executada.

As métricas podem medir, por exemplo, o envolvimento de potenciais clientes gerados por uma campanha de marketing, ou o desempenho conseguido com alguma ação empreendida pela empresa.

Num ambiente cada vez mais desafiador, em que os recursos são escassos e têm de ser altamente rentabilizados, a capacidade de medir o desempenho e de justificar os investimentos tornou-se fundamental.

Fazer planejamento e monitoramento sistemáticos

De acordo com o Empretec, *"Planejamento e Monitoramento Sistemáticos"* desenvolve a organização de tarefas de maneira objetiva, com prazos definidos, a fim de que possam ter os resultados medidos e avaliados. O empreendedor com essa característica bem trabalhada:

- Enfrenta grandes desafios, agindo por etapas;
- Adequa rapidamente seus planos às mudanças e variáveis de mercado;
- Acompanha os indicadores financeiros e os leva em consideração no momento de tomada de decisão.

Monitore sistematicamente seus avanços, a sua rotina, seus resultados e o seu progresso. Caso não perceba avanços, pare, refaça seu planejamento e, se mesmo assim não perceber resultados expressivos, busque apoio com a gerência de equipe, com profissionais especializados, para corrigir eventuais desvios e enganos em seus procedimentos.

Com o monitoramento adequado, você pode alterar seus passos sempre que for necessário e corrigir o caminho para chegar mais rápido à sua meta.

ASSUMA O COMPROMISSO

Esses três pilares são a base do meu sucesso e dos resultados de todos os grandes vencedores que você já encontrou em sua vida, ou ainda irá encontrar. E da mesma forma como eu consegui aplicar esse método na minha vida e obtive os resultados que busquei, você também pode chegar aonde desejar. É só acreditar, tomar a sua decisão de ir para o próximo patamar e começar agora mesmo o seu *turnaround.*

Tudo se resume a assumir o compromisso consigo mesmo, ter uma atitude mental mais positiva, criar bons relacionamentos e cativar pessoas, ser mais persuasivo e mais convincente, desenvolver a habilidade de convencer mais as pessoas e obter melhores resultados em suas negociações.

Lembre-se sempre de que a nossa sorte é criada por nós mesmos e não é um simples acaso do destino. Somos nós que fazemos com que a sorte bata à nossa porta.

É muito importante lembrar também que, quando atingimos o sucesso profissional, ainda temos pendente um compromisso de fazer mais. De deixar a nossa marca. De ajudar verdadeiramente as pessoas com as experiências que acumulamos para chegar até aqui.

O conhecimento é a ponte que nos alavancará, e somente ele pode provocar as verdadeiras mudanças na vida das pessoas.

Este é seu propósito agora: gerar a volta por cima em sua vida, o seu *turnaround,* e depois contribuir, ajudar e provocar mudanças na vida das pessoas, ajudar outras pessoas a também se tornar bem-sucedidas, a também dar a volta por cima em suas vidas.

Porém, cabe aqui um aviso muito importante: nada adianta ter boas intenções, boas ideias, boa informação, se não colocarmos nada disso em ação. É a ação que gera os resultados. A ação é o verdadeiro poder. Melhor ainda, a ação é o seu poder manifestado no mundo.

A ação é extremamente poderosa e somente ela poderá colocá-lo na rota do sucesso. Já no século 19, o filósofo alemão Friedrich Engels falava da potência da ação em nossas vidas: *"Um grama de ação vale uma tonelada de teoria"*. De nada adianta um tempo enorme de dedicação aos estudos se nada do que for absorvido por você for colocado em prática.

Quero dividir aqui com você algumas ações que podem ser realizadas todos os dias, para tirá-lo do campo da teoria e colocá-lo na rota prática da realização de todos os seus objetivos:

1. Administre melhor o seu tempo. Gaste mais horas realizando do que sonhando. Use mais tempo fazendo do que planejando. Passe mais tempo vivendo do que esperando.

2. Escolha melhor "com quem" você usa o seu tempo. Faça conexões com pessoas que agreguem valor à sua vida. Você vai estar ao lado de grandes pessoas quando for percebido também como uma grande pessoa.

3. Fique bem longe de pessoas com mentes negativas.

4. Pare de perder tempo com negatividades. Se gastar o seu tempo pensando que a casa poderá cair, jamais vai construir um castelo. Se gastar o tempo pensando que poderá perder o reinado, jamais será rei.

5. Se perder a aposta, nunca perca a lição.

6. Mude seu *mindset*, afaste o fracasso de sua mente. Pare de cantar "deixe a vida me levar" e comece a cantar "quem sabe faz a hora, não espera acontecer".

7. Para fazer, não espere a perfeição. O feito é melhor do que o perfeito. A oportunidade não vai esperar por você. O tempo está passando. Saia da zona de conforto agora mesmo e faça o que tem de fazer. Ação é poder.

8. Invista em você mesmo. Se você acha que a educação é cara, imagine o preço da ignorância.

9. O tamanho do seu sucesso é determinado pela intensidade da sua crença. Pense em gotas e talvez terá um riacho. Pense no oceano e certamente terá todas as nascentes que o formam. Mas lembre-se: não basta somente pensar, sonhar, desejar. É preciso fazer o que é preciso para realizar o que você deseja.

Assuma o controle do seu destino. Elimine os sabotadores dos seus sonhos e comece agora mesmo a fazer o seu *turnaround*, a dar a grande virada em sua vida.

O ponto de partida é aplicar esses princípios que foram apresentados aqui para tirar força das crenças e atitudes que prejudicam e até mesmo o impedem de avançar, de seguir para os próximos patamares do seu sucesso.

Reveja a sua maneira de pensar, agir e ver o mundo, analise seus comportamentos e posturas e faça um realinhamento de todos eles. Acabe com tudo o que for negativo e fortaleça tudo o que é positivo e construtivo.

Melhore seus pensamentos

Todo pensamento que você tem emite uma frequência para o universo, e essa frequência retorna para a origem, ou seja, para você. Então, se os seus pensamentos são negativos, de desânimo, tristeza, raiva, medo, é isso tudo que você vai receber de volta. Por isso é tão importante cuidar da qualidade dos seus pensamentos e aprender a cultivar pensamentos mais positivos.

Escolha bem as suas companhias

As pessoas que estão à sua volta influenciam diretamente a sua frequência vibracional. Se você está ao lado de pessoas alegres e determinadas, também entrará nessa vibração. Porém, caso você se cerque de pessoas que só reclamam, fofoqueiras, sugadoras de energia e pessimistas, tome cuidado, pois elas poderão diminuir a sua frequência de vibração e, como consequência, dificultar ou mesmo impedir a lei da atração positiva de funcionar a seu favor. Além do mais, como você é a média das cinco pessoas com quem convive, cuide para que as pessoas próximas a você tenham energia de boa qualidade.

Ouça boas músicas

Músicas são poderosíssimas. Se você só escuta músicas que falam de problemas, traição, tristeza, abandono, isso tudo vai interferir na forma como você vibra e na sua disposição, e também na energia que você coloca em seus projetos. Preste atenção nas letras das músicas que você ouve e selecione apenas aquelas que lhe tragam paz, boas energias e mensagens positivas, pois isso afetará muito a sua frequência vibracional. Lembre-se: você atrai para sua vida exatamente aquilo que você vibra.

Cuide bem dos filmes e programas a que você assiste

Quando você assiste a programas que tratam de desgraças, mortes, traições e outras negatividades, seu cérebro aceita tudo aquilo como uma realidade, como uma coisa normal, e libera uma química prejudicial no seu corpo, fazendo com que sua energia e disposição sejam alteradas de modo negativo. Selecione e assista apenas a programas, filmes e vídeos que lhe façam bem e o ajudem a vibrar numa frequência mais elevada, que o ajudará a chegar com mais tranquilidade aos seus objetivos, realizar seus sonhos e ser mais feliz.

Cuidado com o que você fala

Se você reclama ou fala mal das coisas e das pessoas, isso afeta a sua energia e prejudica os seus resultados. Para manter uma frequência de vibração elevada, é fundamental que você elimine o hábito de reclamar e de falar mal dos outros. Evite fazer dramas e assumir o papel de vítima. Lembre-se de que a Bíblia diz: *"A boca fala do que está cheio o coração"* (Mt 12:34).

Mantenha o seu coração animado e positivo, falando coisas boas e construtivas.

Construa as bases para o seu sucesso, dia a dia, atitude por atitude. Vamos juntos rumo ao seu grande *turnaround,* à grande virada que vai fazer da sua vida algo muito além dos seus melhores sonhos.

APROVEITE SEMPRE A LIÇÃO

Em toda jornada existem obstáculos, e alguns pequenos tombos vão acontecer, sem dúvida alguma. Isso faz parte do caminho. Por isso, quero deixar aqui mais um conselho bastante útil, que sempre me ajudou no meu próprio *turnaround:*

"Quando perder a aposta, não perca a lição."

Então, seja qual for a dificuldade, siga em frente, aprendendo sempre. Siga buscando caminhos para ser melhor a cada dia, *"hoje melhor do que ontem e amanhã melhor do que hoje"*, e você terá os mesmos resultados que aquelas pessoas admiráveis que viraram o jogo e se tornaram gigantes no Brasil e no mundo, fizeram história. Siga a trilha de sucesso de quem virou o jogo e se tornou referência para todos os que buscam galgar novos patamares em sua vida.

Seja sempre grato pela possibilidade de mudar o que não lhe agrada na vida. Agradeça sempre pela oportunidade de ter novas perspectivas de vida, acreditar mais em si mesmo, pelo fato de ter iniciativa e sair fazendo o que é preciso, por enxergar que tudo é possível nesta vida, de perceber que sempre existe um caminho a seguir. Seja grato por fazer acontecer em sua vida tudo o que realmente importa.

Não espere que o mundo mude. Provoque você mesmo as mudanças necessárias. Faça o que precisa ser feito agora. Lembre-se: enquanto alguns passam uma longa noite sonhando com o sucesso, outros acordam cedo e trabalham duro para alcançá-lo. São esses os vencedores. E você pode ser um deles. Na verdade, você é um deles e só precisa se dar conta disso. Tenha paixão pela vitória e você será um vencedor.

Então assuma isto para a sua vida: tenha brilho nos olhos e vibre a cada conquista rumo ao seu sonho.

Outro ponto importante: esteja em um estado permanente de inconformismo. O inconformismo sempre será uma mola impulsora de seus *turnarounds*. E você terá que provocar muitos deles se quiser chegar ao topo do sucesso e ir mais além.

Então, se você tem o seu negócio e quer ser um empresário vencedor ou está numa empresa na qual pretende alcançar uma promoção e crescer na carreira, seja um eterno inconformado.

Analise com frequência as suas atitudes, perceba como você se comporta dentro desse ambiente fazendo o que vem fazendo. Você se sente motivado na hora que acorda para cumprir suas metas diárias, ou fica contando os minutos para ir embora da empresa no fim do dia?

Quando abre os olhos pela manhã e está insatisfeito com o que lhe espera naquele dia, significa que você não é apaixonado pelo que faz. Então mude rapidamente de vida, para que você tenha chances melhores de ter sucesso.

A paixão por vencer tem de ser a emoção que o move a cada minuto do seu dia. Se a paixão e a vitória não se enquadram no seu modo de ser e nos seus dias, então está mais do que na hora de você mudar de rota. Não perca mais tempo.

Como disse Jack Welch: *"É melhor agir rápido demais do que esperar tempo demais. Para progredir, é preciso querer progredir. Controle o seu destino ou alguém o controlará"*.

Por isso, repito aqui uma das maiores lições que trago comigo na vida e que, com certeza, fará grande diferença positiva na sua vida: *"Seja melhor hoje do que foi ontem; seja melhor amanhã do que está sendo hoje"*. Melhore-se a cada dia.

Melhorar-se sempre é uma premissa inquestionável do sucesso. Porque, como você mesmo vai perceber ao longo da sua vida, o processo de evolução é cíclico. Por isso mesmo, você vai precisar aplicar este *Modelo de Transformação Turnaround* sempre, para continuar atingindo cada vez patamares mais altos.

Lembre-se: o seu entusiasmo o conduzirá a conquistas nunca antes vivenciadas por você. Portanto, acredite na sua vitória, acredite que você merece um lugar no topo do pódio. Acredite com força. Porque o seu destino é determinado pela intensidade daquilo em que você acredita.

Abra sua mente porque agora é o seu momento da virada. Mas é preciso reconhecer essa grande abertura que surge agora em sua vida e entender que você pode mudar tudo pelo que se dispuser a lutar e que pode reverter qualquer processo que não lhe agrade ou não lhe seja conveniente.

Vá em frente, faça, conquiste. Comemore cada uma de suas vitórias, seja ela pequena, seja grande. Mantenha o seu sonho grandioso. Considere que você pode ser um gigante na sua vida.

Perceba que eu, que estava em uma situação precária, sem recursos, tinha todas as razões para não ter grandes conquistas e, mesmo assim, cheguei onde estou hoje, fiz tudo o que fiz, conquistei e continuo conquistando o sucesso e fazendo minha história. Imagine então o quanto **você** pode realizar na sua vida!

Agora é a hora do seu *turnaround*, de fazer acontecer. Turbine a sua ação, parta para realizar o que é preciso. Passe a fazer e deixe de esperar acontecer. Provoque a grande guinada na sua vida. É hora de você virar esse jogo a seu favor.

A hora é agora! Faça acontecer. Só depende de você.

Este livro está totalmente integrado com o site do autor, Edgar Ueda, onde você poderá encontrar material complementar e enriquecer ainda mais a sua leitura e o seu aprendizado por meio de vídeos, artigos e podcasts sempre atualizados. Acesse esse conteúdo por meio do QR Code ao lado, ou pelo link www.edgarueda.com.br.